CHRONOS

MARC DESROCHERS

CHRONOS

LE MANUSCRIT

ÉDITIONS
MICHEL
QUINTIN

Catalogage avant publication de Bibliothèque et Archives
nationales du Québec et Bibliothèque et Archives Canada

Desrochers, Marc

   Chronos

   Sommaire: 1. Le manuscrit.
   Pour les jeunes de 11 ans et plus.

   ISBN 978-2-89435-642-5 (v. 1)

   I. Titre. II. Titre: Le manuscrit.

PS8607.E775M36 2013   jC843'.6   C2013-940259-4
PS9607.E775M36 2013

Illustration de la page couverture: Maxime Bigras
Conception de la couverture et infographie:
        Marie-Ève Boisvert, Éditions Michel Quintin

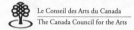 Le Conseil des Arts du Canada
The Canada Council for the Arts
  Patrimoine   Canadian
canadien   Heritage

La publication de cet ouvrage a été réalisée grâce au soutien financier
du Conseil des Arts du Canada et de la SODEC.

De plus, les Éditions Michel Quintin reconnaissent l'aide financière
du gouvernement du Canada par l'entremise du Fonds du livre du
Canada pour leurs activités d'édition.

Gouvernement du Québec – Programme de crédit d'impôt
pour l'édition de livres – Gestion SODEC

ISBN 978-2-89435-642-5

Dépôt légal – Bibliothèque et Archives nationales du Québec, 2013
Dépôt légal – Bibliothèque et Archives Canada, 2013

Éditions Michel Quintin
4770, rue Foster, Waterloo (Québec)
Canada J0E 2N0
Tél.: 450 539-3774
Téléc.: 450 539-4905
editionsmichelquintin.ca

1 3 - L B F - 1

Imprimé au Canada

À ma grand-mère,
Glorianne Ouellet

Durant notre enfance, le temps avance lentement.

Nous avons l'impression que l'avenir n'arrivera jamais.

Nous attendons, apprenons à être patients.

Le temps s'écoule, la Terre roule...

Arrive enfin le temps d'agir !

Nous posons des gestes, agissons avec fermeté et détermination.

Nous nous sentons alors forts, indépendants et libres.

Nous n'avons pas besoin des autres.

Enfin nous sommes maîtres de notre destin !

Et si un jour le temps vient à s'arrêter, c'est parce que nous l'aurons décidé.

Le temps s'écoule, la Terre roule...

Mais les années passent.

Nous réalisons de plus en plus que les actes que nous avons commis pour nous affirmer viennent du même coup nous enchaîner aux personnes que nous avons rejetées.

Le temps s'écoule, la Terre roule...

Et un jour, à un moment prédestiné, le temps vient à s'égrener.

Nous voulons alors tout arrêter et réparer les erreurs du passé.

C'est alors seulement que nous constatons qu'il est trop tard pour tout recommencer.

Que le temps n'a jamais existé.

Et que l'histoire ne fait que commencer...

Al

1

OBSESSION

Écrire. Je dois écrire. Je dois libérer mon esprit de toute cette tension. Un bruit à l'extérieur. Je sens qu'elle est là. Qu'elle m'observe. M'a-t-elle suivi? Non. Impossible. Mais elle parvient toujours à me retrouver. Je sens la peur monter en moi. La peur que tout ce cauchemar soit bel et bien réel. Mon esprit est tordu et tourmenté. Je sens que je suis sur le point de perdre la raison...

Voyons, ressaisis-toi! Il doit y avoir une suite logique et une explication scientifique. Pourtant, je cherche... et je ne trouve pas.

Je suis présentement dans une petite chambre de motel. J'ai acheté un carnet et un stylo pour faire ce que je sais faire de mieux: écrire. Écrire pour que quelqu'un sache vraiment ce qui s'est passé si jamais il m'arrive quelque chose. Aussi, pour que personne ne m'oublie, moi.

Je dois percer le mystère de ma disparition.

Je ne comprends plus. Les événements que j'ai vécus ces derniers jours n'ont aucun sens. Aucune logique. J'ai le sentiment que le film de ma vie s'efface et que le temps s'effondre.

Par où commencer?

Si je me rappelle bien, tout a commencé par un rêve. Tout commence toujours par un rêve…

Je rêve que je tombe à une vitesse prodigieuse. Autour de moi, c'est le vide, le noir complet. Je ne sais pas d'où je viens et encore moins vers quoi je me dirige. Tout ce que je sais, c'est que je m'y dirige… tête première! Je hurle de terreur.

Soudain, un grondement se fait entendre. Puis, peu à peu, celui-ci se transforme en une voix caverneuse qui semble venir du tréfonds des âges.

«Alexis… Alexis… Alexis…»

La voix n'est pas celle d'un homme, encore moins celle d'une femme. Elle ne provient pas d'un endroit en particulier, mais de partout à la fois. Je sens mon corps, chacune de mes cellules vibrer au rythme de cette voix qui m'appelle.

C'est alors que je vois un point gris apparaître. Je tombe vers ce point qui prend peu à peu la forme d'une espèce de gigantesque géant de pierre. Celui-ci semble surgir du néant. Il lève sa tête casquée et me fixe de son regard vide. Il tend alors un bras vers moi, sa paume fermée, comme s'il voulait me montrer quelque chose, un objet précieux caché au creux de sa main. Le guerrier géant détend ses doigts et je découvre un temple grec reposant dans sa paume. Je me dirige tout droit vers lui… Je vais aller m'écraser au pied des marches menant à la porte de ce temple ! Soudain, le grondement s'arrête.

Le rêve change.

Je me tiens maintenant debout, dans la paume du géant de pierre qui me regarde de toute sa hauteur, au pied des marches du gigantesque temple. Le grondement reprend et s'intensifie de plus en plus…

« Alexis… Protéger… Chronos… »

Tout mon corps tremble et pulse au rythme de cette voix. J'ai l'impression que toutes mes cellules vont éclater et libérer une énergie démentielle.

C'est alors que je me réveille en hurlant, le corps en sueur.

***

Bah, me direz-vous, ce n'est pas si mal comme rêve ! Peut-être, mais si je vous disais que je fais ce cauchemar de six à huit fois par nuit, et cela depuis trois semaines ? Maintenant, que me diriez-vous ?

Bien sûr, j'ai tenté d'en trouver la cause ! Non, je n'ai pas vu de film d'horreur dernièrement et encore moins de film portant sur la mythologie grecque. Non, je ne mange pas de pizza au hareng fumé avant d'aller dormir ! Alors pourquoi ? Pourquoi je fais toujours ce même foutu rêve ?

C'est devenu une véritable obsession.

J'y pense constamment. J'ai essayé de libérer à plusieurs reprises mon inconscient de toutes ces images étranges. J'ai même utilisé le truc que ma mère m'avait donné pour extérioriser toutes les angoisses qui m'assaillaient à l'adolescence : la peinture. Si bien que ma chambre s'est vite retrouvée envahie de toiles représentant des temples grecs, des géants de pierre et des portraits de moi tombant dans un vide abyssal.

Résultat : aucun résultat ! Les rêves n'ont pas cessé et lorsque je me réveille en hurlant, m'extirpant finalement de ce cauchemar inexplicable et beaucoup trop réaliste, je replonge dans l'angoisse en voyant tous ces tableaux qui tapissent les murs de ma chambre.

Pourtant, j'ignorais que ce n'était que le commencement, que l'angoisse allait bientôt atteindre de nouveaux sommets.

2

MON ROMAN?

Matin du 11 octobre. Un lundi… Je hais les lundis. Particulièrement celui-là. J'aurais aimé me réveiller d'une bonne nuit de sommeil, mais non, c'est en hurlant et en sueur que je commence cette nouvelle semaine. Je hurle pour deux raisons. Bien sûr, à cause de mon fichu rêve. Mais aussi parce que je constate l'heure sur mon cadran : 8 h 20 ! Et voilà ! Je suis encore en retard !

Je me rends alors à toute vitesse à l'école pour donner mon premier cours de la journée. Je suis professeur de français. Oh, j'aurais pu être beaucoup plus que ça : scientifique, avocat, journaliste, policier, psychologue, politicien, écrivain… J'ai toujours été très bon à l'école. Mais j'ai choisi la profession d'enseignant, car je suis un idéaliste passionné. J'aime penser que j'ai un impact sur la vie des jeunes qui passent dans ma classe. Que j'arrive à les inspirer, en quelque sorte.

Bien entendu, il y a des jeunes plus influençables que d'autres. Prenons l'exemple de Kevin.

Il n'aime pas l'école, encore moins le français. À vrai dire, il en a horreur. Son père le comprend, il était pareil à son âge... Kevin n'aime que ses jeux vidéo, sa musique rap, sa casquette, son téléphone portable et la belle Stéphanie qu'il passe le plus clair de son temps à embrasser durant les pauses.

Mais lorsqu'il arrive dans ma classe et que j'enfile sa casquette, grimpe sur mon bureau et commence à lui rapper la règle d'accord du participe passé avec l'auxiliaire être, le tout sur une chorégraphie improvisée, son regard s'illumine. Pour un court laps de temps, j'ai vraiment l'impression que Kevin a appris quelque chose...

Bref, ce matin-là, après ma mauvaise nuit, je me sens encore fatigué et j'ai mal à la tête. Ce n'est donc pas aujourd'hui que je vais me donner en spectacle. J'ai l'habitude d'avoir des migraines, mais celle-ci me tiraille depuis plusieurs jours. Je décide donc de stationner ma vieille bagnole derrière l'école et d'entrer par la porte de la cafétéria. J'aime bien entrer par là parce que cela me donne un accès rapide à la salle des enseignants tout en évitant la cohue des élèves. Cela me permet également d'éviter le regard méprisant et hautain de notre chère secrétaire de direction qui, derrière la vitre de son aquarium, se plaît à commenter notre style vestimentaire, notre coiffure et j'en passe. Sans oublier tous les formulaires que madame doit nous faire remplir afin d'obtenir notre outil de travail essentiel, j'ai bien dit une vulgaire boîte de craies. Mais je suis en train de me perdre, cette femme ne mérite pas autant d'attention.

Je disais donc que je suis entré par la porte de la cafétéria. Quelques élèves jouent aux cartes, activité hautement éducative, alors que d'autres sont hypnotisés par les téléviseurs. Ceux-ci diffusent en boucle des images spectaculaires de cette vague d'orages qui s'abat sur nous depuis bientôt trois semaines. Les scientifiques ne savent plus où donner de la tête. Qui saurait nous expliquer ce qui se passe ? La planète paraît déréglée. Je m'arrête pour observer le ministre de l'Environnement, M. Turner, qui se démène comme un diable dans l'eau bénite pour répondre aux questions des journalistes. Il a l'air de dire que le gouvernement a la situation en main et que tout reviendra bientôt à la normale, qu'il ne faut donc pas s'inquiéter. Comment ne pas s'inquiéter alors que le ciel nous tombe littéralement sur la tête ?

— Bonjour, monsieur Alexis !

Je me retourne et fais face à Sophie, une de mes élèves. Elle me regarde de ses grands yeux bruns toujours très expressifs. Comme à son habitude, elle semble sortir tout droit d'un magazine de mode. Lunettes griffées et vêtements de marque, mais attention, achetés à petit prix. Sophie est une maniaque des friperies ! Je suis surpris de la croiser à la cafétéria, car elle est ce qu'on appelle un vrai rat de bibliothèque.

— Salut! Comment ça va ce matin? Prête pour ton examen?

— Pas trop, non. Je dois vous avouer que je n'ai pas étudié hier soir. J'ai plutôt lu et terminé votre roman. C'est vraiment excellent et c'est très intéressant vos théories sur…

— Mon roman? Tu veux dire un roman que j'ai conseillé en classe?

— Non, non! Votre roman. Vous auriez dû nous dire que vous aviez écrit un livre. Vous étiez trop gêné, j'imagine. Je vous comprends. À votre place, j'aurais fait pareil! J'aimerais vous poser des questions sur l'un de vos personnages…

— Je suis désolé de te décevoir, Sophie, mais tu fais certainement erreur. Je n'ai jamais écrit de roman. Par contre, je dois dire que j'aimerais bien! Je t'avoue que c'est même l'un de mes plus grands rêves, lui dis-je en souriant.

— Pourtant je vous assure que la notice biographique parlait bien de vous, réplique Sophie, sûre d'elle.

Je l'observe un court instant. Son assurance est si inébranlable que cela me perturbe. Est-ce que j'ai écrit un roman sans m'en rendre compte? Cette idée plutôt loufoque est plus qu'improbable.

— Eh bien, écoute. Apporte-moi le livre et nous regarderons cela ensemble. Je dois dire que tu as piqué ma curiosité.

— Dommage que je ne l'aie pas avec moi!

Je viens tout juste de le redonner à la nouvelle bibliothèque et...

— La nouvelle bibliothèque?

— Oui, vous savez, celle qui n'est accessible que par l'ascenseur situé près de la cafétéria.

— Mais, les travaux viennent tout juste de débuter. Elle est déjà terminée?

La jeune fille hoche la tête et m'observe de ses grands yeux admiratifs. C'est alors que la première cloche retentit dans les corridors de l'école. Si je ne me dépêche pas, je serai en retard à mon cours. Je quitte donc Sophie qui me promet de m'apporter un exemplaire du fameux bouquin le lendemain. Je monte les marches quatre à quatre et tombe sur le regard interrogateur de mon directeur adjoint. Au moment où j'ouvre la bouche pour justifier mon retard, il me coupe la parole d'un geste de la main.

— Alexis! Encore en retard?

— Je suis désolé, monsieur, c'est que j'ai croisé une élève dans la cafétéria et figurez-vous que...

— Ce n'est pas grave! Écoutez, je voulais en profiter pour vous féliciter, me dit-il avec un grand sourire.

Le ton joyeux et bon enfant de mon directeur me désarçonne quelque peu. Il n'a pas l'habitude d'être aussi avenant avec ses employés, surtout avec moi. Non que je ne sois pas apprécié par mon employeur, mais il a parfois de la difficulté à comprendre mes méthodes d'enseignement, disons, peu orthodoxes.

— Me féliciter ? À propos de… ?

— De votre roman, jeune homme, bien entendu ! C'est vraiment excellent ! J'ai hâte de lire la suite. Vous savez, le passage que j'aime le plus est celui où…

Monsieur le directeur adjoint est interrompu par le bruit de la deuxième cloche qui annonce le début des cours. Me voilà maintenant officiellement en retard. Je souris à mon superviseur en lui promettant d'être à l'heure le lendemain matin et je marche en direction de ma classe. Il me regarde bêtement partir sans mot dire. Ouf, je l'ai échappé belle ! Pour le moment, peu m'importe de savoir qui est cet autre Alexis, je suis simplement heureux qu'il ait écrit ce mystérieux roman.

J'arrive à mon local, salue les élèves et sors ma fiche de présence de mon sac. Je balaie la classe du regard et note les élèves absents. Tout en expliquant le déroulement du cours, je me dirige vers l'entrée de la salle. J'insère la fiche dans la fente prévue à cet effet et je ferme machinalement la porte. Celle-ci résiste. Tout en continuant mes explications sur le déroulement du cours, je réessaie. Rien à faire, impossible de la fermer. Les élèves se mettent soudainement à rire en pointant le doigt vers l'embrasure de la porte. Je me retourne et découvre ce qui la bloque : une bottine noire lacée jusqu'au genou. Gêné, j'ouvre et constate que la bottine est rattachée au corps d'une jeune femme à la mine plutôt sombre. Vêtue de cuir noir, chevelure rouge (sûrement pas naturelle), teint pâle comme une morte. Oh non ! Ne me dites pas que le look gothique est revenu à la mode !

— Oh ! Je suis désolé ! Je ne t'avais pas vue. Il faut dire que je suis parfois un peu distrait. N'est-ce pas ? dis-je en regardant le reste de la classe.

Mes élèves éclatent de rire et hochent la tête en guise d'approbation.

— Tu vois ! Tout le monde est d'accord. Mais passons ! Que puis-je faire pour toi ?

— Je suis une nouvelle élève. Mon nom est Darka, répond la jeune fille.

Darka. Un nom peu commun qui va bien avec son allure, disons… originale ? Tout en l'examinant, je reprends ma fiche de présence pour vérifier si le nom de l'inconnue s'y trouve.

— Ton nom ne figure pas sur ma liste. Quand es-tu arrivée ?

Darka ne semble pas avoir entendu ma question. Elle entre dans la classe, marche vers le fond sous les regards inquisiteurs des autres élèves et s'installe à un pupitre libre. Au même moment, un nouvel orage éclate avec force. Le ciel devient si sombre que plus aucune lumière du jour n'entre par les fenêtres. Les néons qui éclairent mon local se mettent à clignoter et s'éteignent. Le mal de tête que je ressens depuis quelques jours me fait si mal que j'ai besoin de toute ma concentration pour garder l'équilibre. Malgré l'atmosphère lourde et inquiétante, plusieurs élèves se réjouissent de la tournure des événements. L'électricité ne reviendra peut-être pas et alors les cours seront annulés… Malheureusement pour eux, la lumière réapparaît après quelques secondes. Aussitôt je pose mon regard sur ma nouvelle élève qui m'observe tel un prédateur.

— J'arrive à l'instant, me répond-elle d'une voix glaciale.

***

Le reste de ma journée se déroule normalement : élèves en retard, devoirs non faits, bavardage pendant mes explications…

Après ma dernière période d'enseignement, je quitte ma classe, complètement lessivé. Je descends au rez-de-chaussée et emprunte le large corridor qui mène vers la porte principale de l'école. Alors que j'arrive à proximité de la cafétéria, les lumières se mettent encore à clignoter. Ces orages doivent être vraiment très puissants pour provoquer de telles instabilités électriques. À ma droite, un bruit mécanique attire mon attention. Je me tourne. Devant moi, un long couloir désert. Au bout de celui-ci, deux portes de métal émettent un ronronnement : le fameux ascenseur qui mène tout droit à la nouvelle bibliothèque. Bizarre, les rénovations étaient à peine commencées. Comment peuvent-elles déjà être achevées ? Et surtout, comment se fait-il que je n'aie pas été avisé de la fin des travaux ?

Les lumières s'éteignent et je me retrouve plongé dans la pénombre. Mal à l'aise, j'attends quelques secondes en espérant que la lumière revienne. Je n'aime pas le noir, c'est froid et vide. Mon mal de tête redouble d'intensité. Je mets mes mains sur mes genoux et prends de grandes respirations. Je sens que je vais être malade…

J'ai l'impression que je perds l'équilibre et que le sol va s'ouvrir sous mes pieds. Je suis pris de nausées atroces. Ce n'est pas vrai, je ne vais tout de même pas vomir au beau milieu du corridor! À bout de nerfs, je tente de toucher le mur devant moi, afin de longer le couloir jusqu'à la sortie, mais mes mains ne rencontrent que du vide. J'ai la sensation que mes pieds s'enfoncent dans le plancher. Je ferme les yeux. Respire, Alexis, respire… Aïe! Une douleur intolérable à la tête. Je tombe… Je tente de crier, mais aucun son ne sort de ma bouche. Je m'effondre à plat ventre sur le sol. L'air entre finalement dans mes poumons. Je me redresse, un peu étourdi. Du calme, Alexis. Enfin, la lumière revient.

C'est alors que j'entends des rires. Je tourne la tête dans leur direction. Devant la porte de l'ascenseur, un groupe d'adolescents m'observent sans bouger. De nouveaux élèves? Ils sont accoutrés de vêtements de cuir et ont les cheveux rouges. Leur visage, caché par un masque blanc, ne montre aucune émotion. Malgré l'étrangeté de la situation, la première idée qui me vient en tête est: «Tiens, à l'exception du masque, ils sont vêtus comme ma nouvelle élève. Voyons, quel est son nom déjà ? Barka ? Varka ? »

— Salut Darka, dit l'un des adolescents d'une voix monocorde.

Darka ! Oui, c'est ça ! Je me relève et me retrouve face à face avec elle. La jeune fille me regarde en ricanant.

— Bonjour Darka ! Désolé, j'ai eu un petit moment de faiblesse. Trop de correction, j'imagine ! Ça va mieux maintenant, dis-je. Et toi ? Que fais-tu ici avec tes amis après les heures de classe ? Vous tournez un film d'horreur ? Je dois dire que vos costumes sont assez réussis !

Darka ne rit plus. Froide comme une tonne de glace, elle m'observe de son regard de prédateur. Gêné, je tente de continuer la conversation comme si de rien n'était afin de cacher mon malaise. Je me retourne vers les adolescents masqués, qui se tiennent toujours près de l'ascenseur.

— Vous arrivez de la nouvelle bibliothèque ? Vous l'aimez ? Ils ont reçu beaucoup de livres, je crois. Et toi, Darka, tu aimes lire ?

Toujours rien. La jeune fille reste sans réaction. Juste ses yeux verts et reptiliens qui ne cessent de me fixer d'une manière presque hypnotique.

— Non, tu ne dois pas aimer lire, je suppose…

— Lire, répond-elle d'une voix métallique. Oh oui, j'aime lire. Surtout votre livre. C'est… instructif, lâche-t-elle avant de se remettre à rire.

Comme en écho au rire de Darka, le groupe qui se trouve derrière moi se met aussitôt à ricaner. Encore cette histoire de livre. Je n'y avais pas pensé depuis la matinée. Coincé entre elle et ses amis, je me sens soudainement menacé. Pourtant, je suis un bon prof et je suis reconnu pour être aimé, drôle et très à l'écoute de mes élèves. Je n'ai aucune raison de penser que ces jeunes veulent m'impressionner. Quel avantage en tireraient-ils ? D'un autre côté, si j'avais à intimider un enseignant, je me choisirais en premier ! Je suis probablement une cible parfaite ! Il faut dire que je ne suis pas très imposant du haut de mon 1,73 mètre et de ma forme, disons, peu reluisante. Aussi, mes cheveux souvent ébouriffés me donnent l'air d'être dépassé. C'est ça quand on passe ses journées à lire et à corriger…

Mais le manège a assez duré. Je décide de mettre fin à ce petit jeu et leur souhaite une bonne fin de journée. D'un pas assuré, mais rapide, je bouscule presque Darka qui ne semble pas vouloir me laisser passer et je m'élance vers la sortie.

Arrivé à l'extérieur, je constate que l'orage est passé. Tout en me dirigeant vers mon véhicule, je me mets à rire de la situation. Ils ont probablement vu ma petite crise d'angoisse dans le corridor et ont profité de l'occasion pour m'impressionner. Je suis tombé en plein dans le panneau ! Quel imbécile… Je devrais prendre congé demain, l'année scolaire ne fait que commencer et je suis déjà au bout du rouleau !

Toujours en riant de mon manque de jugement, j'entre dans mon véhicule et mets la clé dans le contact. Je lève les yeux et remarque que Darka et son groupe d'amis ont rejoint la sortie. Figés, ils me regardent d'un air menaçant telles des vipères prêtes à se lancer sur une proie. Pris de panique, je pars en trombe et quitte le stationnement de l'école. Décidément, je vais devoir discuter de ce groupe d'élèves gothiques avec l'éducatrice spécialisée et la direction de l'école. Ce n'était peut-être pas une blague finalement...

3

Darka? C'est quoi ça? Une nouvelle marque d'automobile?

Le lendemain matin, je décide d'entrer dans l'école par l'entrée principale. Même si je risque de rencontrer des élèves, je m'élance dans le labyrinthe de corridors. Je dois absolument parler à Nancy, l'éducatrice spécialisée, de ce qui s'est passé la veille. Ma respiration s'accélère lorsque j'arrive devant le couloir qui mène à l'ascenseur. Je risque un regard. Le groupe de jeunes gothiques masqués se trouvent encore devant les portes, comme s'ils attendaient quelque chose, un ordre quelconque. Darka est parmi eux. La discussion semble animée et ils ne remarquent pas ma présence. Sans aucun doute adorent-ils la bibliothèque.

Quelque chose m'échappe. Comment l'ajout d'un nouvel étage peut-il déjà être achevé? On a fait l'annonce de l'agrandissement seulement l'an passé et lorsque j'ai quitté l'école en juin, les travaux n'avaient pas encore débuté. À moins que cela ait eu lieu cet été, pendant les vacances ? C'est peu probable. Alors, il ne reste que… de nuit ? Non, c'est complètement absurde ! Il faudrait que je me renseigne…

En passant devant la cafétéria, je remarque que les téléviseurs diffusent encore des images des derniers orages électromagnétiques. Mince, des personnes sont portées disparues à la suite de la tempête particulièrement violente de la nuit dernière. Quelle tristesse… J'espère qu'elles seront bientôt retrouvées !

Je poursuis mon chemin et me heurte à une personne. Je lève la tête. Nancy. Du haut de son 1,90 mètre, la géante me regarde avec son sourire communicatif.

— Oh là ! Regarde où tu marches, jeunot ! s'exclame-t-elle en riant.

— Désolé, Nancy. Je ne t'avais pas vue !

— Ah, Alexis ! Tu dois être la seule personne à me rentrer dedans sans me voir. Tu vois, c'est pour ça que je t'aime, lâche-t-elle avant de se remettre à rire.

— Ça tombe bien, je voulais justement te parler.

— Tu vois comme la vie est bien faite ! Tu penses à moi et… pouf ! Je suis là ! De quoi voulais-tu discuter ?

— Darka, tu connais ?

— Darka? C'est quoi ça? Une nouvelle marque d'automobile?

Incapable de garder mon sérieux, j'éclate de rire à mon tour.

— Non, c'est le nom d'une nouvelle élève. Nom de famille inconnu. Difficile à manquer, elle a les cheveux rouges. Comme le reste de ses copains d'ailleurs. Une bande de gothiques, on dirait... ou de punks. Je ne sais pas trop. C'est toi la spécialiste des bizarroïdes!

— Alex, Alex, Alex... un jeune enseignant devrait être au courant de ces choses-là! me lance-t-elle avec un regard réprobateur. Mais non, je n'étais pas là hier et je n'ai pas été informée de cet arrivage coloré.

— Oh, encore ton fils? Je suis désolé... Ça ira mieux, tu verras, lui dis-je.

— Oui, sûrement. Écoute, j'ai une rencontre dans quelques minutes. On dîne toujours ensemble?

— Oui, Karine et moi, on va t'attendre dans la salle des profs.

— Super! À ce midi! me répond-elle avant de se perdre dans la foule d'adolescents qui viennent tout juste d'envahir l'école.

Nancy, Karine et moi sommes nouveaux dans l'école. Trois jeunes recrues qui veulent changer le monde dans un monde de dinosaures, c'est très difficile à vivre. Les vieux enseignants se montrent souvent réticents à l'égard du changement. Une chance que j'ai ces deux collègues exceptionnelles. Soudain, je suis tiré de mes pensées par la cloche qui retentit dans l'école. Est-ce la cloche marquant le début des classes? Je jette un coup d'œil autour de moi. Les élèves commencent à déserter les corridors. Dois-je donner un cours ce matin? Tout à coup, je ne suis plus sûr de mon horaire. Je presse le pas. Si c'est le cas, il ne me reste que cinq minutes pour me rendre en classe et je n'ai pas l'intention d'être en retard.

C'est alors que je me retrouve, encore une fois, plongé dans le noir complet. Oh non! Pas encore… La lumière revient presque aussitôt et je suis ébloui. Des mains puissantes m'agrippent à la gorge et me plaquent contre le mur. Je tente de me débattre, mais mes pieds quittent le sol. On me soulève littéralement de terre! J'étouffe, je vais… La prise se relâche et je tombe au sol. À quatre pattes, je respire profondément afin de faire entrer de l'oxygène dans mes poumons.

— Bonjour, monsieur le professeur de français, me dit une voix glaciale.

Je lève la tête et reconnais tout de suite la personne qui se trouve devant moi. Darka. Je n'y comprends rien. Comment une adolescente peut-elle avoir la force de me soulever à bout de bras?

— Étrange… Comment un homme si faible peut-il être la cause de tant de problèmes? Vous savez pourquoi je suis ici, n'est-ce pas? Donnez-le-moi et je retournerai d'où je viens…

— Je ne comprends pas ce que tu veux. Je n'ai pas d'argent sur moi. Je…

— Cessez de jouer avec moi, cher professeur. Le manuscrit ! Je sais que vous avez commencé à l'écrire hier. Donnez-le-moi !

— Le manuscrit ? Je n'ai pas de…

Darka explose de colère. Elle se penche pour m'agripper encore une fois, mais un bruit mécanique retentit dans le corridor. L'ascenseur menant à la nouvelle bibliothèque est en marche. Les lumières s'éteignent et se rallument aussitôt. Darka a disparu, elle s'est littéralement volatilisée. Un signal sonore se fait entendre. Les portes de l'ascenseur sont sur le point de s'ouvrir. Pris de panique, je me relève et cours dans la direction opposée.

* * *

Arrivé au bout du corridor, je m'arrête et me cache derrière un mur. J'entends les portes de l'ascenseur s'ouvrir. Lentement et avec prudence, je penche la tête pour observer qui sont les nouveaux arrivants. Le groupe de gothiques. Ils semblent attendre quelque chose ou quelqu'un. Sûrement Darka… Mieux vaut ne pas traîner dans les parages.

C'est alors qu'un bras me tire vers l'arrière. Je ravale un cri et me retourne pour observer la personne qui vient presque de me faire faire une crise cardiaque.

Sophie. Mon élève. Relâchant tout l'air accumulé dans mes poumons, je regarde la jeune fille, effaré.

— Je vous ai fait peur? Je suis désolée, mais je tenais absolument à vous voir avant le cours! J'ai réussi à dénicher un exemplaire du livre! Par contre, il s'agit de la traduction anglaise, m'annonce-t-elle tout en me présentant le fameux bouquin. J'espère que cela ne vous dérange pas trop. J'ai essayé de trouver l'édition originale en français, mais…

Intrigué, je demande à voir le livre. Tout en écoutant d'une oreille le jacassement de mon élève, j'observe l'objet tant convoité. La jaquette a été retirée. La reliure de bonne qualité est en carton noir. Le titre du roman, *Chronos*, est inscrit en gros caractères dorés. *Chronos*, c'est… exotique, comme titre. Et aussi familier. Où ai-je déjà entendu ce nom? Mon Dieu… Mon rêve! *Chronos*! C'est celui que répète la voix dans mon rêve!

Complètement obnubilé, je poursuis l'examen du bouquin. Mon nom figure sur le dos du livre. Je l'ouvre et tente d'en faire une lecture rapide et aléatoire. Il semble être question de changements climatiques, de poursuites, d'une disparition… Soudain, mon cœur s'arrête. Darka. Là, sous mon doigt, imprimé en lettres noires. Ce nom: Darka. Mon esprit s'emballe. Comment est-ce possible? Il doit y avoir une explication logique. J'essaie par tous les moyens de me concentrer, mais le débit rapide de mon élève volubile m'empêche de réfléchir. Alors que je ne m'y attends pas, le livre m'est arraché des mains.

— Quoi ? Qu'est-ce que tu fais ?

— Eh bien, comme je vous l'expliquais, je dois absolument le retourner à Mireille, la bibliothécaire, m'explique-t-elle. Je lui ai promis que je le rapporterais avant la deuxième période, car quelqu'un l'a réservé. À plus tard ! me dit-elle en s'élançant vers le corridor qui mène à l'ascenseur.

Toujours caché derrière le mur, j'observe Sophie. Elle avance dans le couloir, dépasse le groupe de gothiques et appelle l'ascenseur. Les portes de celui-ci s'ouvrent pour laisser sortir une jeune fille à la chevelure rouge : Darka. Je risque un regard furtif et vois les portes de l'ascenseur se refermer sur le visage lumineux de Sophie. La troupe se dirige maintenant vers moi. Dans quelques secondes, ils me découvriront. Pas de temps à perdre, je me retourne et me précipite dans la cage d'escalier la plus proche. Arrivé en haut, je jette un coup d'œil pour voir si je suis suivi. Par chance, le groupe d'adolescents semble s'être arrêté au bas de l'escalier. En restant le plus discret possible, je tente de capter des bribes de leur conversation. Je perçois la voix de Darka qui s'adresse à sa bande :

— Tout fonctionne comme prévu. Nous avons réussi à infiltrer l'école sans trop nous faire remarquer. Pour le moment, je vous ordonne de ne pas provoquer le professeur de français. Contentez-vous de le suivre et de…

Oh non ! La cloche marquant le début des cours se met à retentir et je rate la fin de la conversation. Je ferme les yeux. Je sens la colère monter en moi. Quand je les rouvre, je lance un coup d'œil vers le bas de l'escalier. Darka est là, seule, et elle regarde dans ma direction ! Je m'écarte. Au même moment, la terre tremble et les lumières s'éteignent. Un autre orage. Un éclair doit être tombé tout près d'ici. M'a-t-elle vu ? Je l'ignore. J'entends des pas. Quelqu'un monte l'escalier. Je n'attends pas de savoir de qui il s'agit. Je sais à qui appartenaient les bottes qui martèlent le sol. Je tourne le coin du couloir et me dirige vers la porte donnant sur la salle des professeurs. Il y a toujours quelqu'un dans la salle, j'y serai en sécurité pour un moment. Du moins, je l'espère…

4

L'ascenseur

Je ne sais plus quoi penser. Je me dirige vers mon bureau qui croule sous une montagne de cahiers à corriger. Je soulève une pile et examine mon horaire. Est-ce que je dois donner un cours ? Non. Pas aujourd'hui. Heureusement, car je ne suis pas sûr que j'aurais été en mesure de le faire. Je fouille dans mes tiroirs à la recherche de cachets. Merde ! Il n'y en a plus. Ah, si ce fichu mal de tête pouvait passer ! Abattu, je me laisse choir sur ma chaise. Tout en me massant la nuque, je prends de grandes respirations. Ça suffit, je prends congé ! Je laisse une note à l'intention de la secrétaire et prends mon guide de planification pour trouver du travail à faire au suppléant. Mais vraiment, impossible de me concentrer.

J'entends des pas derrière moi, quelqu'un approche. D'un bond, je me lève. Une femme dans la cinquantaine se tient debout devant moi. Suzanne. Notre collègue hystérique.

— Ah ! Alexis ! Comment ça va ? Ça fait long-temps que je ne t'ai pas vu. Te cacherais-tu par hasard ? Ha ! ha ! ha ! Tu ne m'évites pas, toujours ? me lance la femme de sa petite voix criarde.

— Bonjour, Suzanne. Non, non. J'avais du travail à faire. Tu sais, la routine quoi !

— Ah ! Eh bien, moi, ça va super bien ! J'ai ren-contré quelqu'un dernièrement. Un homme char-mant. Et ce week-end, on est allés dans un bon petit restaurant japonais. Et puis après, eh bien, j'ai fini la soirée chez lui… Ha ! ha ! ha ! Tu vois ce que je veux dire. C'était très, TRÈS agréable !

D'un geste théâtral, j'arrête ma collègue, car celle-ci a la fâcheuse tendance à raconter à tout le monde sa vie amoureuse, enfin, je devrais plutôt dire ses escapades amoureuses. Je n'ai pas envie d'apprendre des détails qui me feraient détester encore plus ce genre de comportement.

— C'est super, Suzanne ! Je suis vraiment content pour toi !

Oh ! Quel horrible hypocrite je fais. Suis-je parvenu à avoir l'air sincère ? Je la félicite encore et prends la poudre d'escampette. Je suis prêt à affronter tous les élèves aux cheveux rouges dotés d'une force surhumaine plutôt que de passer une heure en compagnie de cette femme.

Sorti de la salle, je marche d'un pas rapide tout en regardant autour de moi afin de voir si je suis suivi. C'est sans trop de problème que j'arrive près du couloir menant à la sortie. Mais il me reste à franchir celui qui mène à l'ascenseur montant à la nouvelle bibliothèque. Je m'immobilise au bout dudit corridor. Pas d'élèves en vue. Génial. D'un pas lent, je m'approche de l'ascenseur. Tout près de celui-ci, je m'arrête et cherche la moindre trace de quelque chose d'étrange ou d'inusité. Rien. Tout à coup, un signal se fait entendre. Les portes sont sur le point de s'ouvrir et une personne pourrait en sortir. Je cherche un endroit où me cacher, mais n'en trouve pas. Et le bout du corridor est trop loin. Je suis coincé.

Les portes coulissent lentement. Devant moi se présente un visage familier et rassurant : Sophie. La jeune fille s'avance et me regarde d'un air que je ne lui connaissais pas. Elle semble perturbée et inquiète.

— Sophie, est-ce que ça va ?

— Monsieur Alexis. Je… je ne sais pas. Je ne comprends pas, dit-elle d'une voix presque inaudible.

— Tu ne comprends pas quoi ?

— C'est compliqué. Je dois absolument vous montrer quelque chose ! me lance-t-elle, tout excitée.

Prenant mon élève par les épaules, je tente en vain de la calmer.

— Sophie, regarde-moi… Me montrer quoi ? Le livre ? Est-ce que ça concerne le livre ? Ressaisis-toi et raconte-moi tout !

— Non ! Vous devez voir par vous-même !

M'agrippant par la manche de mon veston, elle me tire à l'intérieur.

— Sophie! Du calme! Où veux-tu aller comme ça?

— À la bibliothèque! Venez! Vous n'en croirez pas vos yeux…

Dans un claquement métallique, les portes se referment et l'ascenseur se met en marche. Nous restons là, muets, écoutant le léger vrombissement du moteur. C'est alors que les lumières commencent à clignoter. Puis viennent les ténèbres. Enfin le silence. Quelques secondes plus tard, nous reprenons notre course vers les hauteurs.

— Ce doit être encore un orage.

— Peut-être, réplique Sophie. Ça fait toujours cela lorsque je prends cet ascenseur ou alors c'est le mauvais branchement d'un fil ou quelque chose du genre.

Je n'ai pas le temps de commenter. Les portes s'ouvrent et… Sophie avait raison. Je n'en crois pas mes yeux.

***

Je sors de l'ascenseur. Je me trouve dans un long corridor blanc avec, à son extrémité, une immense porte de verre. Un côté du passage est complètement vitré. Je suis figé devant le paysage apocalyptique qui se présente à moi. Certains immeubles semblent avoir été abîmés par je ne sais quoi. Des tours de métal s'élèvent du sol jusqu'au ciel, dépassant les plus hauts immeubles de la ville. Le ciel est rouge clair. Presque la couleur du sang. Malgré le fait que nous sommes le matin, l'ambiance est feutrée et les lampadaires diffusent une lumière blanche éblouissante. Mon regard se pose sur le parc situé près de l'école. Il n'y a personne à l'extérieur et la végétation paraît morte. D'accord, nous sommes en automne, mais tout de même…

— Impressionnant, n'est-ce pas? C'est fou ce qu'on peut faire maintenant avec quelques effets visuels. Les élèves en design ont bien réussi leur maquette! On croirait que ce paysage est réel! Venez, la bibliothèque est là, au fond, déclare mon élève en montrant la porte de verre au bout du corridor.

Sophie. J'en avais presque oublié sa présence. Tout en traversant le couloir, j'observe cet étrange décor. Aurait-elle raison? Se pourrait-il que ce ne soit qu'un mirage, une maquette? Cela semble pourtant si réel. En regardant de plus près, j'ai même l'impression que les quelques feuilles qui restent aux branches sont bercées par le vent. Une simple illusion d'optique?

Nous arrivons finalement à la porte de verre, qui s'ouvre d'elle-même. Wow! Je ne savais pas que l'école avait reçu autant d'argent, on a mis le paquet! Des ordinateurs neufs et un nouveau mobilier! Cette bibliothèque fait cinq fois la superficie de l'ancienne. Le paradis. Je suis tiré de ma contemplation par une voix féminine.

— Est-ce que je peux vous aider ?

Je me retourne et… Mireille. Oh non ! Ne me dites pas qu'elle aussi a succombé au look gothique. La bibliothécaire, autrefois brune, a maintenant les cheveux rouges et est accoutrée de cuir comme une ancienne vedette de rock. Son visage habituellement souriant est creusé, triste et terne. Qu'a-t-il bien pu lui arriver pour prendre un tel coup de vieux ?

— Bonjour Mireille ! Intéressant, ton look, dis-je en essayant d'avoir l'air crédible.

— Alexis ? Alexis, le professeur de français ? s'exclame-t-elle en me regardant comme si je revenais du royaume des morts.

— Oui ! Je suis venu voir la nouvelle bibliothèque. C'est vraiment incroyable ! Tu dois être heureuse !

Mais elle n'a pas l'air très enthousiasmée.

— Je ne comprends pas, reprend la bibliothécaire. Tu n'es pas censé être ici. À moins que je me trompe. Pourtant…

Mireille paraît surmenée. Je ne l'ai jamais vue dans cet état. Elle qui d'habitude est d'humeur si joviale ! C'est sûrement dû à la rapidité des travaux de rénovation. En tant que responsable de la bibliothèque, ça lui a probablement demandé beaucoup d'énergie et d'heures supplémentaires de travail. Je décide de la laisser faire du ménage dans ses pensées, et en profite pour retrouver Sophie, assise à un poste d'ordinateur.

— Alors, que voulais-tu me montrer ?

— Voilà ! C'est un article de journal qui parle de vous. Je l'ai trouvé sur *Cyberpresse*. C'est à n'y rien comprendre. Tenez, je vous laisse ma place, fait-elle en se levant.

Je m'assois et lis le titre de l'article. Mon sang se fige dans mes veines.

Disparition de l'auteur Alexis Chevalier.

Mais… qu'est-ce que c'est que cette histoire ? !

Le service de police a annoncé aujourd'hui la disparition de l'auteur Alexis Chevalier. En effet, on serait sans nouvelles de lui depuis 48 heures. Après le lancement de son livre, Chronos, *l'auteur a quitté une librairie dans l'est de la ville pour se rendre chez lui. Son véhicule a été retrouvé dans une petite ruelle, tout près de l'école où il enseignait jadis. L'immeuble est maintenant un édifice gouvernemental, situé au cœur de la métropole. Si vous détenez des informations qui peuvent être utiles aux recherches, n'hésitez pas à communiquer avec le service de police de votre région.*

Incrédule, je fixe l'écran. Cette histoire n'a aucun sens. Je dois être en train de rêver. Je sais que je ne devrais pas manger de chocolat avant d'aller dormir. Le petit verre de porto a dû être de trop lui aussi…

— Mais voyons, c'est impossible !

— En effet, mais ce n'est pas le plus incroyable, m'annonce Sophie. Regardez !

Tout en bas, j'aperçois la date de parution de l'article : 12 octobre 2030. Quoi ? Mais quelle date sommes-nous aujourd'hui ? Je regarde la date affichée à ma montre. Elle indique le 12 octobre 2010. Mon cœur s'arrête.

Avec peine, je réussis à me relever. Sophie m'annonce que je suis blanc comme neige. Elle prend mon bras pour me soutenir et me conduit vers la sortie. Mon élève tente ensuite de me convaincre d'aller aux toilettes, question de me rafraîchir les idées. Après tout, il doit y avoir une explication logique à tous ces événements.

Adossé contre le mur, je regarde la jeune fille entrer dans les toilettes pour dames. Je décide de suivre sa recommandation et j'entre dans celle des hommes. Il fait noir, je n'y vois rien. Ai-je déjà dit que je n'aimais pas le noir? C'est alors qu'on m'agrippe. Je tente de me débattre, en vain. Encore une fois, je sens la peur s'emparer de moi. J'essaie de contrôler ma respiration et de me concentrer sur les sons environnants, afin de reconnaître mon agresseur. Est-ce Darka? Quelqu'un marche près de la porte. Clic! On vient de la verrouiller. La lumière revient.

Devant moi se tient une femme dans la trentaine au visage familier. Je connais ce visage, mais il semble différent. Plus… âgé. Soudain, tout s'éclaire.

— Sophie?

— Monsieur Alexis, pardon… monsieur Chevalier, je sais que cela doit vous paraître irréel, mais vous devez absolument m'écouter. Il ne nous reste plus beaucoup de temps.

— Quoi ? Mais de quoi veux-tu parler ? Et comment…

Mon élève, en fait, mon ancienne élève m'implore de me taire.

— Vous devez absolument m'écouter ! Vous courez un grand danger.

Vraiment ? Ce qu'elle ne sait pas, c'est que je le sais déjà.

5

SOPHIE

Je regarde mon élève visiblement plus âgée de vingt ans. Ça y est, je suis en train de perdre la tête. Je nage en plein délire... Premièrement, je ne me souviens pas d'avoir écrit un livre. Deuxièmement, je suis victime d'intimidation de la part de nouveaux élèves au goût vestimentaire plutôt douteux. Et troisièmement, ça! Comment est-ce possible? Comment peut-on réussir à faire un saut de vingt ans dans l'avenir en montant simplement deux étages?

L'ascenseur. Darka et ses amis sont toujours regroupés près de celui-ci. Se pourrait-il que cette bande de gothiques à la chevelure rouge arrive directement du futur? C'est illogique, loufoque. Pourtant, il n'y a pas d'autre explication possible. Et le livre? Le livre que j'ai supposément écrit proviendrait lui aussi du futur, puisqu'il vient de cette bibliothèque. De plus, on y fait mention de Darka. Visiblement, cette dernière n'a pas du tout aimé ce que j'ai écrit sur elle. Mais qu'ai-je bien pu écrire ? Que cache-t-elle ?

— Je sais que cela peut sembler bizarre, mais vous devez absolument me croire. Nous sommes bien en 2030. J'attends ce moment depuis si longtemps ! Je me suis toujours demandé ce qui s'était passé le jour où nous étions venus à la bibliothèque et que nous avions lu un article sur votre disparition.

— Quoi ? Mais de quel jour parles-tu ? m'exclamé-je.

Soudain, je comprends. Sophie parle d'aujourd'hui, de ce qui vient tout juste de se passer.

— Et ce matin, quand j'ai vu l'article dans le journal, continue Sophie, j'ai finalement su que ce que nous avions vécu il y a vingt ans n'était pas le fruit de mon imagination. J'ai donc ressorti mon vieux journal intime pour retrouver le moment où nous étions montés ensemble à la bibliothèque et…

Décidément, Sophie n'a pas beaucoup changé en vieillissant. Elle est toujours aussi volubile. Fatigué, je lui conseille d'aller à l'essentiel.

— D'accord, d'accord ! Eh bien, voilà, monsieur, je crois que quelqu'un vous en veut beaucoup.

— Oui, ça, je l'avais compris ! Mais pourquoi ? Qu'ai-je fait, bon sang ?

— C'est à cause de ce que vous avez écrit dans votre roman. Je ne me souviens plus très bien de l'intrigue, il faut dire que ça fait maintenant vingt ans que je l'ai lu. Je ne savais pas à l'époque que ce livre provenait en fait du futur… J'ai tenté d'en trouver un exemplaire en librairie, mais il n'est plus disponible. Par contre, je sais qu'il y est question des changements climatiques. C'est tout ce dont je me souviens.

— Changements climatiques…?

Je revois en pensée les élèves réunis devant les téléviseurs de la cafétéria, regardant les images d'orages électromagnétiques qui ne cessent de frapper la planète depuis quelque temps. Je revois aussi le ministre de l'Environnement, M. Turner, livrant un message destiné à calmer la populace. Les changements climatiques sont vraiment d'actualité en effet, mais à ma connaissance je n'ai pas écrit de livre sur le sujet. Je me surprends à regarder mon reflet dans le miroir des toilettes. Mon teint est gris et terne. Des cernes creusent le dessous de mes yeux et mes cheveux sont encore plus ébouriffés que d'habitude. Je ne suis vraiment pas beau à voir. Le manque de sommeil causé par mes cauchemars et l'angoisse des derniers jours sont en train de venir à bout de moi. Et vu ce que je vis en ce moment, je suis loin de pouvoir remédier à cette situation.

— Comme je vous le disais, j'ai essayé de me procurer un exemplaire de votre livre, mais il n'y en a plus nulle part. C'est comme si on l'avait retiré de toutes les librairies de la ville. Sauf ici, à la bibliothèque, précise Sophie.

— Mais tu es une adulte maintenant. Tu ne peux pas emprunter des livres dans une bibliothèque scolaire, à moins bien sûr que tu ne sois enseignante.

— Les choses ont changé, monsieur. Aujourd'hui, le bâtiment n'abrite plus uniquement une école. Comme le nombre d'élèves a beaucoup diminué, on a converti le troisième et dernier étage de la bâtisse en bureaux du gouvernement, et la bibliothèque, qui occupe tout le deuxième étage, est accessible à tous.

Sophie dépose alors sa main sur la mienne et me regarde d'un air triste.

— Monsieur, poursuit-elle, vous savez, l'avenir n'est pas très beau. Les changements climatiques que nous vivions lorsque j'étais adolescente ne sont rien en comparaison de ce que nous avons vécu ces dix dernières années.

— Quoi? Comment ça? Le gouvernement a sûrement prévu quelque chose pour empêcher que cela ne se détériore! De plus, M. Turner, le ministre de l'Environnement, soutenait que la situation était maîtrisée et que…

— Visiblement, il mentait. Pourtant, les scientifiques affirmaient le contraire. Certains prétendent même avoir écrit des rapports à ce sujet, mais on ne trouve aucune trace desdits rapports. On ne trouve d'ailleurs aucune trace de ces scientifiques qui disent les avoir rédigés. J'ai fait beaucoup de recherches et je n'ai rien trouvé ! Et je sais de quoi je parle, je travaille pour le gouvernement maintenant, au ministère de l'Intérieur. Par contre, dans mes recherches, j'ai découvert des informations très intéressantes concernant d'autres personnes portées disparues… Des infos qui pourraient mettre ma vie et le gouvernement de M. Turner en péril…

— Le gouvernement de M. Turner ? Quoi ? Il est devenu premier ministre ? m'exclamé-je.

— Oui, mais pas n'importe lequel ! Oh non ! M. Turner est un véritable héros, affirme Sophie sur un ton sarcastique. Mais je n'ai pas le temps de vous en dire davantage, car je vais bientôt sortir des toilettes et essayer de forcer la porte pour savoir si vous allez bien.

Un bruit se fait alors entendre. Quelqu'un essaie de forcer la porte des toilettes pour hommes. La voix de mon élève se fait entendre.

— Monsieur Alexis, est-ce que ça va ? demande la jeune Sophie.

— Oui, oui ! Encore quelques minutes. Ce ne sera pas long.

— D'accord, répond-elle. Je vous attends près de l'ascenseur.

Le bruit de ses pas nous permet de savoir qu'elle s'éloigne.

— Très bien. Nous allons pouvoir parler en paix maintenant, dis-je à la Sophie plus âgée.

— Non, Darka et ses acolytes vont bientôt arriver. Ils vont sortir dans quelques minutes de l'ascenseur et…

— Mais comment peux-tu le savoir?

— Eh bien… j'y suis en ce moment! Je vous y attends, me dit-elle en me tendant une carte magnétique et un bout de papier.

Je vis sans aucun doute le moment le plus étrange de ma vie. Je prends la carte et le papier. Sur celui-ci sont indiqués un numéro de téléphone portable et une adresse: 217, rue de l'Avenir. Un nom de circonstance!

— Écoutez-moi bien, dit Sophie. Ce soir, vers 21 heures, vous reviendrez à l'école et reprendrez l'ascenseur. Si tout se passe comme prévu, vous devriez revenir ici, en 2030. Lorsque ce sera fait, vous sortirez par la porte de l'ancienne cafétéria qui est maintenant un restaurant. Marchez le plus vite possible sans regarder les gens, afin de ne pas vous faire arrêter par la sécurité. Lorsque vous arriverez dans le stationnement, il y aura une automobile de couleur noire. Voici la clé du véhicule, fait-elle en me tendant un morceau de métal pas plus gros qu'une pièce de monnaie. Vous la glisserez en plein centre du volant, l'auto démarrera automatiquement et vous conduira jusque chez moi. Vous avez l'adresse au cas où le système automatique ne s'enclenche pas. Vous savez, les voitures japonaises! Une fois devant la guérite, vous tendrez la carte magnétique. Si tout va bien, le garde vous laissera passer. Compris ? me demande-t-elle alors.

Je confirme par un signe de tête.

— Une dernière chose. Comment vais-je faire pour entrer dans l'école en pleine nuit ?

— Demandez à un employé de l'entretien. Faites semblant d'avoir oublié un truc, des copies à corriger, par exemple.

Des copies à corriger ? À neuf heures du soir ? Euh, j'ai une vie moi aussi ! Enfin, j'avais une vie… Toutefois, je dois dire que cette fille a de la suite dans les idées !

Je glisse l'adresse et la clé dans ma poche de veston et me prépare mentalement à sortir des toilettes. J'entrouvre la porte. Comme Sophie l'avait mentionné, Darka et ses copains sont à l'entrée de la bibliothèque. Ils semblent chercher quelqu'un. Probablement moi. Sans faire de bruit, je me glisse à l'extérieur. Clic ! La porte de verre s'ouvre automatiquement et disparaît dans le mur. Je me retourne pour savoir si le son de l'ouverture de la porte a attiré l'attention. Oui !

Je m'élance dans le corridor à toutes jambes. Je crie à la jeune Sophie d'appeler l'ascenseur. Darka et sa bande sont sur mes talons. Les portes de l'ascenseur s'ouvrent. Nous pénétrons aussitôt à l'intérieur. Puis nous les entendons crier de rage lorsque les portes se referment. J'essuie la sueur qui perle sur mon front. Mes tempes sont douloureuses…

— Mais qu'est-ce qui se passe ? Que voulaient ces gens ? gémit ma jeune élève.

— Ce n'est rien, je crois qu'ils ont une dent contre moi. Est-ce que ça va aller ?

— Je crois, oui, fait-elle d'une voix à peine audible.

— Sophie, tu dois me promettre de ne plus retourner à la bibliothèque. Du moins, pas avant que j'aie parlé de ce qui vient de se passer à la direction et à la police. Ces élèves ne sont pas de l'école et il vaudrait mieux les éviter pour le moment. D'accord ? lui dis-je sur le ton le plus autoritaire possible.

— OK. De toute façon, je ne suis pas sûre de vouloir retourner à cette bibliothèque. Il s'y passe des choses vraiment trop étranges.

— En effet. Tu ne peux pas si bien dire ! Ça te fera quelque chose de spécial à écrire dans ton journal intime… dis-je en regardant les néons s'éteindre et se rallumer.

Sophie tourne la tête et me regarde d'un air surpris et inquisiteur.

— Comment savez-vous que je tiens un journal intime ?

***

Après l'épisode de l'ascenseur, je quitte l'école, théâtre de ma vie. Les éclairs déchirent toujours le ciel. Ne s'arrêteront-ils donc jamais ? Ne sont-ils pas lassés de rappeler aux humains qu'ils ne peuvent rien face aux éléments déchaînés ? Nous nous croyons les maîtres de la planète, alors qu'en réalité nous lui sommes soumis.

La pluie déferle sur les routes. Plusieurs véhicules gisent dans les fossés. Je ralentis et me déplace vers l'accotement afin de laisser passer une ambulance qui crie à tous les vents que quelqu'un a besoin d'aide, que quelqu'un va mourir.

Le rythme incessant des essuie-glaces m'hypnotise. Mon esprit s'égare et repasse en boucle les événements de la journée. Comme un vieux film en noir et blanc. Est-ce que j'ai rêvé ? Suis-je vraiment allé dans l'avenir ? Je revois mon agression près de l'ascenseur, l'article de journal indiquant ma disparition, ou plutôt celle de mon double âgé de vingt ans de plus. Que m'est-il arrivé ? Qu'ai-je bien pu écrire pour qu'on m'en veuille à ce point ? Suis-je en train de perdre la raison ? Des bribes de la conversation avec ma jeune élève du futur me reviennent.

— ... *l'avenir n'est pas très beau. Les changements climatiques que nous vivions lorsque j'étais adolescente ne sont rien en comparaison de ce que nous avons vécu ces dix dernières années... Ce soir, vers 21 heures...*

Tout en conduisant, je repense au bout de papier que Sophie m'a remis. Je cherche à le prendre dans la poche de mon veston, mais je n'arrive pas à l'atteindre. La tenue de route est trop instable, avec les accumulations d'eau sur la chaussée, pour lâcher le volant. Tant pis, je le prendrai à la maison.

La pluie semble s'arrêter enfin. Je baisse ma fenêtre et embrasse le ciel du regard. D'énormes nuages couvrent la voûte céleste. Depuis combien de jours n'avons-nous pas contemplé un ciel sans nuages ? Une semaine, peut-être plus ? Les tempêtes se font de plus en plus présentes, de plus en plus violentes. Se pourrait-il que le gouvernement nous ait menti ? Que les changements climatiques que nous vivons en ce moment aient pu être évités ? Ou pire, que les tempêtes que nous subissons ne soient que le commencement de la fin ? Pourquoi mentir ? Quel avantage M. Turner aurait-il à mentir à la population ?

— *Quoi ? Il est devenu premier ministre ?*

— *M. Turner est un véritable héros…*

Cela aurait-il un lien avec sa future élection au titre de premier ministre ? Et Darka… Qui est-elle ? De quel manuscrit voulait-elle parler ? Je ne possède pas de manuscrit ! Voulait-elle parler du manuscrit de mon roman ? Mais je n'ai écrit aucun roman !

Tout en ressassant ces pensées, je garde les mains crispées sur le volant afin d'éviter les multiples nappes d'eau qui couvrent la chaussée. Je jette un œil dans le rétroviseur et observe mon reflet. J'ai le regard halluciné. Suis-je en train de devenir fou ? Une lumière blanche m'éclaire soudain et j'évite de justesse une voiture qui roule en sens inverse. Je dois me ressaisir. C'est avec le souffle court que j'arrive enfin dans l'entrée de ma petite maison payée avec mon maigre salaire d'enseignant. Un peu de repos ne me fera pas de tort. J'ai grand besoin de sommeil, cela m'aidera sûrement à y voir plus clair.

Il se remet à tomber des cordes. Je décide de me servir de mon porte-documents comme parapluie. Je sors de mon véhicule, verrouille les portes et cours vers la porte d'entrée. Malgré le fait que je connais bien le chemin pour me rendre à la porte, j'ai de la difficulté à m'orienter avec toute cette eau sur mes lunettes.

Le tonnerre gronde. Je m'arrête et fouille dans mes poches de veston pour trouver mes clés de maison. Vite, vite, je veux rentrer... Ah, les voilà ! Aoutche ! Une douleur lancinante se fait encore sentir au niveau de ma nuque. J'ai l'impression que l'on vient de m'asséner un coup, non, une décharge électrique. Incapable de supporter une telle souffrance, je m'écroule par terre en échappant mon porte-clés. La douleur est si atroce que j'ai l'impression que ma tête va exploser.

Maintenant, c'est toute ma peau qui me fait souffrir, comme si elle... grésillait. Puis, tout d'un coup, la douleur s'en va comme elle était arrivée. Je repère mes clés devant la porte. Trempé, épuisé, je tremble comme une feuille des pieds à la tête. J'essaie d'insérer la clé dans la serrure, mais je n'y arrive pas à cause de mes mains trop fébriles. Ah, enfin ! Voyons. La poignée ne veut pas tourner.

La porte s'ouvre soudainement. Un homme

se tient devant moi. Non, je rectifie, un colosse se tient devant moi. Plutôt étrange compte tenu du fait que j'habite seul. Je regarde le numéro indiqué sur le mur de la maison. C'est bien chez moi. L'inconnu m'examine comme si j'arrivais tout droit d'un univers parallèle.

— Oui ? me lance-t-il d'un ton impatient.

Je le regarde, décontenancé.

— Eh bien, réussis-je à articuler, c'est que… j'habite ici. Que faites-vous chez moi ?

J'entends alors une voix de femme.

— Chéri ! Dépêche-toi, le film va commencer !

— J'arrive tout de suite, lui lance le colosse. Écoutez, monsieur, je crois que vous devez vous tromper de maison. Ça fait presque vingt ans que ma femme et moi habitons ici !

— C'est impossible, répliqué-je, je viens tout juste d'emménager dans cette maison et…

Je n'ai pas le temps de terminer ma phrase qu'il me claque vivement la porte au nez. Perplexe, je me retourne et me laisse choir sur le perron.

— Mais qu'est-ce que…

Ce n'est pas vrai, je rêve ! Le ciel. Le ciel est rouge, comme dans la maquette qui longe le corridor menant à la nouvelle bibliothèque. Visiblement, ce n'était pas une maquette, mais bien des fenêtres. Les arbres grands et forts qui agrémentaient autrefois ma rue sont maintenant frêles et morts. Les bâtiments environnants sont sales et mal entretenus. Des tours de métal éparpillées aux quatre coins de la ville montent jusqu'au ciel.

On dirait que ces tours… oui, on dirait qu'elles empêchent le ciel de tomber. La ville serait-elle construite sous un dôme?

Mon Dieu, ce décor apocalyptique est donc bien réel. Qu'est-ce qui peut expliquer une telle destruction? Je me lève et marche jusqu'au bord de la rue. Mon véhicule a disparu. Je ne comprends plus rien. Cependant, une chose est sûre, je n'aurai pas besoin de reprendre l'ascenseur ce soir pour me rendre dans le futur. Visiblement, j'y suis déjà. Mais comment ai-je fait pour y arriver? Comment?

6

ROUGE

Six kilomètres. C'est la distance qui sépare ma maison de l'école. Je ne pensais pas parcourir toute cette distance à pied aujourd'hui, mais entre rester là à pleurer sur mon sort et à espérer que je revienne par magie à mon époque (ce qui est peu probable, quoique si je repense à la manière dont je suis arrivé ici...) ou marcher six kilomètres pour tirer enfin cette histoire au clair, j'opte pour la marche.

Je déambule dans les rues de la ville, incapable de regarder autre chose que ce ciel rouge qui semble me narguer. Rouge. Comme les cheveux de Darka. Comment est-ce possible ? Je décide de m'arrêter quelques instants et de m'asseoir sur le bord du trottoir pour contempler la voûte céleste. Outre sa couleur étrange, ce ciel a une texture qui paraît synthétique et iridescente. Comme s'il était composé d'énergie se mouvant à la manière d'aurores boréales.

— On ne s'y habitue pas, n'est-ce pas? me lance une voix.

Je tourne la tête. Un vieil homme à la longue chevelure blanche, vêtu d'une robe claire, me regarde. Il ressemble un peu à ces vieux magiciens de romans fantastiques. Son allure ne cadre pas avec ce décor futuriste et apocalyptique. Néanmoins, son air m'est étrangement familier.

— Pardon?

— La couleur du ciel. Enfin, si on peut appeler ça un ciel. On ne s'y habitue pas, n'est-ce pas? insiste l'homme.

— Je dois admettre que c'est… particulier. J'aimerais bien savoir comment on a réussi à construire…

— Construire? Ha! ha! ha! D'où venez-vous, jeune homme? De la planète Mars?

Déstabilisé par la question, je n'ose répondre. Après tout, nous sommes dans l'avenir. Peut-être que l'humain a réussi à coloniser Mars et que je ne suis pas au courant. Le ciel est bien rouge! Percevant mon malaise ainsi que mes interrogations, il poursuit:

— Vous voyez ces tours de métal qui montent jusqu'au ciel? Ce sont elles qui génèrent le champ de force qui nous protège tous.

— Nous protéger? Mais de quoi?

— De mère Nature, mon garçon. Nous sommes heureux de les avoir. Plusieurs pays ont été dévastés à la suite des divers changements climatiques qui se sont produits il y a vingt ans. D'autres ont été rayés de la carte. Inondations, tremblements de terre, ouragans... Heureusement pour nous, nous n'avons subi que des dégâts mineurs à cause de ces maudits éclairs, explique l'homme en montrant du doigt un gratte-ciel particulièrement ravagé. Bien sûr, il y a eu aussi toutes ces personnes disparues...

— Vous voulez dire que ce sont les orages violents que nous avons subis qui ont mis la ville dans cet état ?

— Mais oui. Heureusement que M. Turner, le ministre, a pris les choses en main. C'est lui, l'inventeur de ce ciel artificiel. Dans un sens, on peut dire qu'il est un héros, déclare l'homme d'un ton sarcastique.

M. Turner, un héros. Et un inventeur en plus. La dernière fois que j'ai vu notre «héros national», il n'était pas encore premier ministre et il avait beaucoup de difficulté à faire face au raz-de-marée de questions des journalistes. J'ai peine à croire que cet homme ait réussi à inventer quoi que ce soit ! À moins que ce ne soit pas lui l'inventeur. Que quelqu'un lui ait fait cadeau de cette technologie. Quelqu'un ou... quelqu'une ? Darka. Cette fille aux cheveux rouges doit être mêlée à cette histoire. Le souvenir de ma visite à la nouvelle bibliothèque me revient en mémoire. Ma conversation avec la Sophie du futur. Elle semblait détenir des informations sur le premier ministre Turner qui pourraient le mettre dans le pétrin…

Le fil de mes pensées est interrompu par quelque chose qui obstrue ma vue. Je lève la tête. Le vieil homme à la robe blanche. J'en avais presque oublié sa présence.

— Vous paraissez tourmenté, mon ami. Cependant, sachez que nous ne sommes jamais seuls face aux épreuves, me dit-il en souriant.

Debout devant moi, il me tend un papier. Je le prends et l'examine. Un billet de banque. Je relève la tête pour remercier mon bon Samaritain, mais il a disparu. Et la rue est déserte. Il s'est littéralement volatilisé.

Décidément, je vis les moments les plus étranges de toute ma vie. Mieux vaut ne pas me poser trop de questions. Ma montre indique 20 heures pile. Je dois être à la bibliothèque vers 21 heures. Il est temps d'accélérer le pas.

* * *

Arrivé à proximité de l'école, maintenant convertie en édifice gouvernemental, je tente de repérer le véhicule dont Sophie m'a parlé. Quelle chance ! L'endroit est presque désert et il n'y a qu'une seule voiture noire. En m'approchant, je remarque qu'une barrière bloque l'accès au stationnement. Sophie m'avait mentionné ce détail. Mais elle s'attendait à ce que j'arrive de l'intérieur du bâtiment et non de l'extérieur. De plus, des caméras de sécurité fixées aux murs balaient tout le périmètre. Hum, les choses vont commencer à se corser. Il y a peut-être une autre entrée plus loin, derrière l'édifice.

En m'éloignant de la guérite, je remarque que celle-ci est vide. Pas d'agent de sécurité. Inespéré. Je ne prends pas le temps de me poser de plus amples questions et m'élance dans le stationnement. Au diable les caméras de sécurité! Je rejoins le véhicule. La portière s'ouvre aisément et je me précipite à l'intérieur.

J'ai réussi. La seconde suivante, un agent sort de l'entrée principale et se dirige vers la guérite. Pris de panique, je m'enfonce le plus possible dans mon siège. Il semble ne pas m'avoir remarqué. Je n'ai pas autant de chance avec les caméras. L'une d'entre elles arrête son balayage et fixe son objectif dans ma direction. Je ne dois pas rester là une minute de plus! Je plonge la main dans la poche de mon veston et en retire la clé, ce petit bout de métal qui est censé mettre en marche le véhicule. «Vous la glisserez en plein centre du volant, l'auto démarrera automatiquement», a dit Sophie. J'insère la clé dans la fente du volant. L'engin prend vie immédiatement. Le moteur, ultrasilencieux, démarre et les lumières s'activent. Je remarque un écran d'ordinateur au milieu du tableau de bord. Probablement un système de navigation. Soudain, une voix féminine dépourvue d'émotion se fait entendre.

— Moteur activé. Niveau de lumière faible.

Activation des phares. Niveau d'huile vérifié. Batterie chargée. Veuillez nommer votre destination.

— Euh…

— Euh est une destination inconnue. Veuillez nommer votre destination.

— Merde, je dois prendre le papier dans ma poche.

— Merde, je dois prendre le papier dans ma poche est une destination inconnue. Veuillez nommer votre destination.

— 217, rue de l'Avenir.

— 217, rue de l'Avenir. Pilote automatique enclenché.

Enfin, mon véhicule se met en route et se dirige vers l'entrée du stationnement. Arrivée à proximité de la guérite, la voiture ralentit pour s'arrêter parfaitement à la hauteur du gardien de sécurité, qui est occupé à manger un sandwich. Ma vitre s'abaisse automatiquement. Je remarque dans le rétroviseur que la caméra est toujours braquée sur moi. Mon rythme cardiaque s'accélère et je retiens ma respiration, comme si celle-ci pouvait me trahir.

— Bonsoir, dit le garde, sans même se tourner vers moi. Votre carte d'employé, s'il vous plaît.

Sans un mot et sans détacher mon regard du rétroviseur, je tends la carte magnétique. L'homme délaisse son sandwich et jette un coup d'œil dans ma direction. Son téléphone sonne. Il décroche et me regarde, perplexe. Ça y est, je suis cuit. L'homme raccroche rapidement puis me dévisage d'un regard inquiet.

— Oh! C'est vous, monsieur... Désolé, je ne vous avais pas reconnu! me dit le gardien en me remettant la carte magnétique qu'il ne prend même pas le temps d'examiner. C'est beau, vous pouvez passer! Désolé de vous avoir fait attendre. Allez, bonne soirée. Encore désolé, monsieur!

Le garde, visiblement mal à l'aise, active la barrière. Avec la voie maintenant dégagée, l'automobile s'engage sur la route et poursuit son chemin.

Les yeux fixés sur le rétroviseur, je tente de reprendre mon souffle. Dans quelques secondes, le garde va s'apercevoir de son erreur – je ne suis pas l'homme qu'il croyait – et lancer des voitures de police à mes trousses. Je serai arrêté pour être sorti du stationnement d'un édifice gouvernemental avec un véhicule qui ne m'appartient pas.

Dans la nuit, les sirènes vont retentir et les gens qui ont une vie terne et misérable se précipiteront à leur fenêtre, contents qu'il se passe enfin quelque chose dans ce quartier plus qu'ordinaire. Alors, je serai dans l'obligation de garer l'automobile sur le côté et de montrer mon permis de conduire aux agents de police. Les pauvres... Ils vont avoir tout un choc lorsqu'ils l'examineront et qu'ils constateront qu'il est daté de l'an 2010.

Mais je divague. Aucun véhicule n'est lancé à mes trousses. Pourtant... les caméras de surveillance? Je commence à penser que je suis né sous une bonne étoile. Du moins, je pourrais le croire si je ne m'étais pas retrouvé par magie dans un futur où la planète se meurt et où l'on vit sous un ciel artificiel… et où une adolescente particulièrement frustrée s'en prend à ma vie.

L'automobile ralentit et s'arrête. À ma droite se trouve une petite maison de banlieue construite en brique rouge. Une faible lumière éclaire le porche et le numéro de la maison : 217.

7

217, RUE DE L'AVENIR

20 h 45. Je suis très en avance ! Pas si mal ! Je me tire hors du véhicule et observe la maison. Il s'agit d'un petit cottage construit sur un seul étage. Le revêtement extérieur est fait de métal et de bois. Je me dirige vers la porte d'entrée et appuie sur le bouton. Le carillon retentit. Aucune réponse, aucun son. Pourtant, des lampes diffusent une faible lumière à travers les fenêtres. Je sonne encore. Rien.

— Sophie ? Il y a quelqu'un ? C'est Alexis ! Monsieur Alexis !

Personne ne répond à mon appel. Las, j'agrippe la poignée de porte et tente de la tourner. Elle n'est pas verrouillée. À pas de loup, je pénètre à l'intérieur. La porte s'ouvre sur une grande pièce. En son centre se trouvent deux canapés blancs. Des bibliothèques remplies à craquer couvrent tous les murs. Il y a plusieurs monographies, plusieurs romans aussi. Stephen King... Évidemment. Je me rappelle que ma jeune élève a un goût très prononcé pour ce genre de littérature. Visiblement, ça n'a pas changé. Pourquoi les jeunes tiennent-ils absolument à lire des histoires d'horreur? Le monde en est rempli. Toutes les abominations que l'homme a accomplies depuis le début des temps ne sont pas assez monstrueuses pour eux? Lire sur les tortures que l'on a fait subir aux Juifs, aux homosexuels et aux autres minorités dans les camps de concentration de la Seconde Guerre mondiale peut rivaliser avec toutes les horreurs inventées par cet auteur adulé. Dégoûté, je continue ma recherche.

— Sophie? Il y a quelqu'un?

Mais où diable est-elle passée?

Dans le coin du salon sont disposés des portraits de famille. L'un d'eux montre Sophie à 14 ans environ, lorsqu'elle était mon élève...

Tout à coup, un bruit de moteur se fait entendre à l'extérieur. Je m'approche de la fenêtre pour jeter un œil. Une camionnette blanche vient de se garer juste derrière ma voiture. Sur les portières, on peut lire que ce véhicule est la propriété du gouvernement. Celles-ci s'ouvrent et, sous la lueur des lampadaires, j'aperçois la couleur rougeâtre de la chevelure des passagers. Oh non... Darka et ses comparses. Terrorisé, je me plaque contre le mur et essaie d'entendre ce qu'ils disent.

— Maintenant, écoutez-moi! L'enseignant

sera ici dans quinze minutes. L'étudiante est déjà
à l'intérieur. Cela nous laisse le temps d'agir. Prenez ce que vous voulez, vous pouvez même tuer
la fille si cela vous chante, mais n'oubliez pas, ne
touchez pas à un cheveu du prof. Il le veut vivant.
Est-ce clair ?

Les membres de la bande de Darka répondent
par un hochement de tête. Voilà que cinq jeunes
masqués aux cheveux rouges et vêtus de cuir se
dirigent d'un pas décidé vers la maison. Je dois
sortir d'ici au plus vite.

Tête baissée, je m'élance dans un corridor étroit
qui me mène jusqu'à une cuisinette. Une porte
donne sur la cour. Je tente de l'ouvrir, mais rien à
faire, elle est coincée. J'entends la porte principale
de la maison s'entrebâiller. Ils arrivent.

Je me précipite vers une fenêtre. Elle glisse sans
problème. Ouf ! Je me jette au-dehors et me cache
derrière une haie de cèdres. Des pas résonnent
dans la cuisine. Le profil de Darka passe devant la
fenêtre ouverte. La jeune fille se penche et jette un
regard à l'extérieur. Ses yeux reptiliens scrutent les
alentours. Je retiens ma respiration.

Soudain, un jeune homme apparaît à ses côtés.

— Darka, il n'y a personne dans la maison,
annonce-t-il d'une voix tremblante.

— C'est impossible ! La fille doit être ici !
Cherchez-la encore ! ordonne-t-elle.

— Mais je t'assure que nous avons fouillé la
maison au peigne fin et que…

— Silence ! Il y a quelque chose qui cloche.

Cela ne devrait pas se passer ainsi, répond-elle en fouillant toujours la cour de ses yeux menaçants. Préparez-vous à recevoir le prof! crache-t-elle en refermant la fenêtre.

Aussitôt sa silhouette hors de vue, je sors de ma cachette et m'élance au fond de la cour. Après avoir sauté par-dessus la clôture en métal, je jette un coup d'œil vers la cuisine. Personne ne m'a vu. Dans un élan de panique, je me mets à courir. Je cours sur les pelouses, les trottoirs et, finalement, au milieu de la rue. Je cours jusqu'à en perdre haleine. Vers où? Vers quoi? Je ne sais pas, je ne sais plus.

Une dizaine de rues plus loin, je me laisse choir sur le trottoir, épuisé, le visage dans les mains.

— Tiens, mais serait-ce mon ami tourmenté? s'exclame une voix familière.

Je redresse la tête. Je n'arrive pas à le croire! L'homme à la robe blanche!

— Vous?! Mais… que faites-vous là?

— Eh bien, il me semble que c'est plutôt à moi de vous poser la question. Chaque fois que nous nous croisons, je vous trouve assis par terre avec l'air de tomber des nues! Je dois dire que vous paraissez beaucoup plus en peine que la dernière fois. Qu'est-ce qui ne va pas?

— Oh, je ne pense pas que vous me croiriez de toute manière, dis-je en me recachant le visage.

— Je vois. Mais ne vous ai-je pas dit plus tôt que nous ne sommes jamais seuls face aux épreuves?

— Ha! ha! ha! Vous savez, la vie, ce n'est pas comme dans les rom… répliqué-je en relevant la tête pour regarder mon mystérieux interlocuteur.

Mais celui-ci a encore une fois disparu. Je me remets sur mes jambes et scrute les alentours pour voir où il aurait pu se cacher si rapidement. Comment fait-il pour se volatil…

— Monsieur Alexis! Monsieur Alexis! crie une voix féminine.

Incroyable. Au bout de la rue se trouve Sophie qui accourt vers moi, saine et sauve.

— J'ai réussi à me sauver de justesse. Ils sont arrivés pendant que j'étais dans ta maison. La porte n'était pas verrouillée et… mais où étais-tu? finis-je par lui demander, énervé par les derniers événements.

— J'étais en train de me préparer à vous accueillir quand on a sonné à ma porte. J'ai regardé par la fenêtre et j'ai vu un homme.

— Un homme? Un vieil homme avec de longs cheveux blancs? Était-il vêtu d'une soutane blanche?

— Oui, vous le connaissez?

— Oui. Non. En fait, je ne crois pas. C'est très étrange, je viens tout juste de lui parler et il s'est volatilisé. Que te voulait-il?

— Eh bien, je n'ai pas eu le temps de lui parler, il avait déjà disparu lorsque j'ai ouvert. Cependant, j'ai trouvé ceci sur le pas de ma porte. J'ai fait le tour du pâté de maisons pour essayer de le retrouver, mais aucune trace de lui! Il se déplace plutôt vite pour un homme de son âge. Tenez, c'est pour vous, me dit Sophie en me tendant une enveloppe.

Je la prends et l'examine. Mon nom est écrit sur le dessus et... je ne peux pas le croire. Il s'agit de ma propre écriture.

Je déchire l'extrémité de l'enveloppe et vide son contenu.

Une feuille pliée en deux et une petite carte. Je tente de lire celle-ci, mais ma vue s'embrouille.

— De quoi s'agit-il ? demande Sophie.

— C'est une carte de visite, on dirait. Il y a également une lettre.

Je la déplie et lis son contenu à haute voix :

Durant notre enfance, le temps avance lentement.

Nous avons l'impression que l'avenir n'arrivera jamais.

Nous attendons, apprenons à être patients.

Le temps s'écoule, la Terre roule...

Arrive enfin le temps d'agir !

Nous posons des gestes, agissons avec fermeté et détermination.

Nous nous sentons alors forts, indépendants et libres.

Nous n'avons pas besoin des autres !

Enfin nous sommes maîtres de notre destin !

Et si un jour le temps vient à s'arrêter, c'est parce que nous l'aurons décidé !

Le temps s'écoule, la Terre roule...

Mais les années passent.

Nous réalisons de plus en plus que les actes que nous avons commis pour nous affirmer viennent du même coup nous enchaîner aux personnes que nous avons rejetées.

Le temps s'écoule, la Terre roule…

Et un jour, à un moment prédestiné, le temps vient à s'égrener.

Nous voulons alors tout arrêter et réparer les erreurs du passé.

C'est alors seulement que nous constatons qu'il est trop tard pour tout recommencer.

Que le temps n'a jamais existé.

Et que l'histoire ne fait que commencer…

Al

— On dirait une énigme. C'est qui, Al ? Qu'est-ce que cela peut bien vouloir dire ? demande Sophie.

— Si tu veux mon avis, nous ne sommes pas au bout de nos peines.

Je remarque alors que l'écriture est identique à celle sur l'enveloppe, donc encore une fois identique à la mienne.

— Tiens, il y a aussi cette carte de visite, dis-je en la tendant à Sophie. Je n'arrive pas à lire, je crois que ma vue est fatiguée, ajouté-je en me frottant les yeux.

— C'est la carte d'une maison d'édition. Celle-là même qui publie votre livre. C'est évident que ce n'est pas le fruit du hasard si cette carte vous tombe entre les mains. On essaie de vous guider.

Il y a un nom écrit dessus... Patrice Cloutier, éditeur. Vous le connaissez?

— Mon meilleur ami s'appelle Patrice Cloutier. Mais il n'est pas éditeur, il est comptable. Et... oh! mon Dieu...

— Quoi? Quoi?

— Eh bien, Patrice a toujours rêvé d'avoir sa maison d'édition. Il a une véritable fascination pour les livres.

— Peut-être a-t-il lancé sa maison d'édition en publiant votre roman. Si c'est le cas, sa carrière d'éditeur est bien partie!

— Je crois qu'il n'y a qu'un seul moyen de le savoir. Y a-t-il une adresse sur la carte? Bien. Alors, si nous faisions une petite visite à mon ami?

Je fais quelques pas et me sens chanceler. Sophie passe mon bras autour de son cou pour m'empêcher de tomber.

— Ouais, mais avant, vous avez besoin d'un bon repas, d'une bonne nuit de sommeil et surtout, d'une bonne douche. Vous commencez à sentir... étrange, monsieur le professeur de français.

***

Nous avons marché longtemps. Sophie avait refusé d'utiliser son automobile, de peur que Darka et sa bande nous repèrent. Nous nous sommes arrêtés dans un centre commercial ouvert 24 heures et avons acheté de quoi manger.

J'ai également acheté un carnet violet, ma couleur préférée, et des crayons. J'avais besoin d'une pause pour mettre de l'ordre dans mes pensées et c'est en écrivant que j'y arriverais le mieux. Je ne suis pas devenu prof de français pour rien.

Sophie a loué une chambre dans un motel miteux. Même dans le futur, un motel reste un motel. La pièce sent le renfermé et l'humidité, et les rideaux blancs, jaunis maintenant, révèlent que le décor n'a pas été changé depuis belle lurette !

Nous prévoyons faire une petite visite à Patrice seulement le lendemain soir, question d'éviter de nous faire repérer. Nous avons donc le restant de la nuit et une journée complète pour nous reposer.

Sophie se couche et s'endort tout de suite.

Je me couche également, mais je suis incapable de dormir. Au moindre craquement, au moindre bruit de pas à l'extérieur, je sursaute. J'ai l'impression que Darka et sa bande vont surgir dans la chambre à tout moment.

À bout de nerfs, je me lève. Assis à la table, devant un grand verre d'eau, je regarde par la fenêtre et cherche à trouver des réponses aux questions qui m'assaillent.

Comment suis-je arrivé là ? Comment ai-je fait pour faire un saut de vingt ans dans le futur ? Suis-je l'auteur de ce livre dont tout le monde parle ? Si oui, qu'ai-je bien pu écrire pour soulever la colère de Darka et sa bande ?

Darka. Qui est-elle ? Et plus important encore, pour qui travaille-t-elle ?

Et ce vieil homme vêtu de blanc ? Qui est-il ? Est-il un allié ? Peut-on vraiment lui faire confiance ?

Et moi, ou plutôt mon double porté disparu, où est-il ? L'a-t-on enlevé ? Le retient-on prisonnier quelque part ? Est-il… mort ou vivant ?

Épuisé, je prends le carnet violet et un des crayons achetés plus tôt. Je l'ouvre à la première page et écris toutes les pensées qui fourmillent dans ma tête :

Écrire. Je dois écrire. Je dois libérer mon esprit de toute cette tension. Un bruit à l'extérieur. Je sens qu'elle est là. Qu'elle m'observe. M'a-t-elle suivi ? Non. Impossible. Mais elle arrive toujours à me retrouver. Je sens la peur monter en moi. La peur que tout ce cauchemar soit bel et bien réel. Mon esprit est tordu et tourmenté. Je sens que je suis sur le point de perdre la raison…

8

Cauchemar

Cette nuit, je rêve encore une fois. Mais le rêve est légèrement différent. Je tombe… Et cette voix caverneuse et sans âge m'appelle toujours.

«Alexis… Alexis… Alexis…»

J'atterris dans la paume de la main du guerrier casqué, au pied du temple grec. Mais cette fois, le géant se penche vers moi et me dit : «Alexis, tu as été choisi ! Protéger le temple de Chronos. Un grand danger. Danger ! Danger ! »

Une force me propulse alors à l'intérieur du temple et je suis projeté sur une fortification qui s'écroule sur moi. Je hurle de douleur, mais surtout de terreur.

Lorsque je me relève, je vois une femme ailée tenant une roue, sculptée à même un mur de pierre. Sa peau brille comme si elle était sertie de milliers d'étoiles.

«Danger! Ne pas troubler le sommeil de Némésis! Danger!»

C'est alors que la sculpture de la femme prend vie. Elle se détache du mur et marche d'un pas lourd en ma direction, chaque pas résonnant dans ma tête. Ses yeux s'illuminent comme de la braise incandescente. J'ai peur et je tente de fuir cette vision d'horreur, mais j'en suis incapable. Je sais qu'il arrivera un grand malheur si je plonge dans son regard de feu où brûle une haine implacable.

Finalement, nos yeux se croisent. Mon corps se dessèche et tombe en poussière…

9

MON MANUSCRIT

Le soleil est couché depuis une heure. Dans un taxi, nous nous promenons dans un des chics quartiers huppés de l'ouest de la ville. La voiture s'arrête devant une grosse maison en pierre grise de style victorien.

— Vous êtes arrivés à destination, lance le chauffeur. Ça fera 92 dollars, s'il vous plaît.

— Quatre-vingt-douze dollars ! ? Bon sang ! Même dans le futur, prendre un taxi est hors de prix ! dis-je au chauffeur qui me regarde comme si j'étais un idiot.

Pendant que Sophie paie, je sors du véhicule et observe les lieux. Je ne suis jamais venu dans ce coin de la ville. Dans le temps, Patrice habitait une petite maison dans un quartier résidentiel tout ce qu'il y a de plus ordinaire. Où a-t-il pris l'argent pour s'acheter un pareil manoir ? Serait-ce son nouveau travail d'éditeur qui lui permet de se payer un tel luxe ?

— Waaaouuuh ! s'exclame Sophie en me rejoignant. Il en a de l'argent, votre ami.

— Il n'en avait pas autant à l'époque. Cela m'étonne beaucoup, cette maison ne lui ressemble vraiment pas. Patrice aime les parcs et la nature, les grands espaces...

— Eh bien, pour ce qui est de l'espace, il est choyé dans cette maison ! Je crois qu'il est temps de faire sa connaissance, dit Sophie en montant l'escalier qui mène à la porte principale.

Elle s'apprête à appuyer sur la sonnette. Juste à côté de celle-ci se trouve un interphone.

— Minute ! Minute ! Que vais-je lui dire ? Il risque d'avoir un choc. N'oublie pas que je suis porté disparu et que, dans ce monde, je suis sensé être vingt ans plus vieux ! Comment vais-je lui faire comprendre cette cure de rajeunissement ?

— On essaiera de lui expliquer. Ne vous inquiétez pas.

— Lui expliquer ? Je n'y comprends rien moi-même, alors je vois mal comment je vais faire pour...

Trop tard. Sophie a déjà sonné. Irrité par la rapidité de la jeune femme, j'attends nerveusement une réponse.

— Oui ? dit la voix de mon ami, légèrement déformée par le grésillement de l'interphone.

— Patrice ? C'est Alexis. Il faut absolument que je te parle. C'est urgent.

— Alexis ? Dieu soit loué, tu es sain et sauf !
Ne bouge pas, je descends t'ouvrir.

Trente secondes plus tard, la porte s'ouvre. Mon
ami, âgé de vingt ans de plus, me regarde de ses
yeux toujours pétillants. Malgré l'âge et quelques
rides, il n'a pas changé et se montre toujours aussi
chaleureux.

— Ah, Alexis ! Comme je suis content de
te voir. Mais où diable étais-tu passé ? Tu nous
as fichu une de ces frousses. Ne reste pas dans
l'ombre. Entre, entre ! Et qui est la charmante
demoiselle que voilà ?

— Patrice, je te présente Sophie. Mon élè…
euh… une amie.

— Enchanté, entrez !

Nous pénétrons dans le hall. Il referme la porte
et se tourne vers moi.

— Mais… qu'est-ce que… ? Alex, tu es si jeune.
Tu en as profité pour te payer une petite chirurgie
ou quoi ?

— Oui, je sais. Écoute, je peux t'expliquer. Je…

— Ainsi, c'est donc vrai, réplique mon ami
d'un air grave.

— Quoi ? De quoi parles-tu ?

— D'abord, quittons le hall d'entrée et allons
dans mon bureau si vous le voulez bien. Nous
y serons plus à l'aise pour bavarder, dit-il en se
dirigeant vers un escalier.

Nous suivons Patrice à l'intérieur de sa maison. Je suis estomaqué par la beauté des lieux.
Planchers de marbre, reproductions de peintures

de la Renaissance, lustres de cristal. Nous montons un grand escalier en colimaçon qui nous mène au deuxième étage. Ensuite, nous passons une immense porte de bois et pénétrons dans un bureau richement décoré. Une immense statue grecque qui représente une femme ailée tenant une roue se trouve dans un coin de la pièce.

— Némésis! m'écrié-je.

— Némésis? Je ne connais aucune déesse du nom de Némésis, déclare Sophie. Quel était son rôle?

— Elle était la déesse de la vengeance divine.

— C'est exact! confirme Patrice. On la connaît surtout comme la déesse de la vengeance, mais en fait, elle est beaucoup plus que ça! La roue qu'elle tient dans sa main est la roue de la Fortune. Némésis était chargée de distribuer la justice et de rythmer le destin des hommes. Tout cela, sous la supervision de Zeus, le roi des dieux, évidemment... Pour d'autres, elle est l'astre du matin, venant sur terre pour mettre fin au règne de la nuit.

L'ardeur avec laquelle Patrice vient de s'exprimer me met quelque peu mal à l'aise. On dirait presque du fanatisme religieux. Je ne reconnais plus mon ami, lui d'habitude si calme, si posé. Je jette un œil à Sophie qui se tourne vers moi, visiblement troublée. Nous nous lançons un regard plein de sous-entendus.

— Eh bien! C'est génial et très poétique tout ça. Chose certaine, elle n'a pas l'air commode!

Sophie a raison. Les traits tirés de la déesse lui donnent un air impitoyable… Je ne peux que repenser à mon cauchemar de la nuit dernière. Ce n'est pas un hasard si j'ai fait ce rêve. Pourquoi Patrice a-t-il cette statue dans son bureau ?

Tous les murs sont recouverts de bibliothèques remplies de livres, à l'exception d'un mur où un feu brûle. Au-dessus du foyer de marbre, une immense peinture qui représente un gigantesque temple grec… Je la reconnais tout de suite.

« Mon Dieu ! Mais c'est une des toiles que j'ai peintes ?

— Oui, c'est l'une de tes plus belles toiles ! *Le temple de Chronos* ! Tu me l'as donnée pour mon quarantième anniversaire.

— *Chronos*. Monsieur Alexis, c'est le titre de votre roman ! me rappelle Sophie.

— Assoyez-vous, assoyez-vous, dit soudainement Patrice. Je vais tout vous raconter. Comme je te le disais plus tôt, je ne suis pas vraiment étonné de te voir. J'ai été averti de ta visite, Alex.

— Comment ? Qui t'a prévenu ?

— Toi. Tu m'as appelé la journée de ta disparition pour me dire que bientôt tu te présenterais chez moi et que tu me demanderais de t'aider. Tu m'as également précisé que tu aurais l'air jeune, beaucoup plus jeune… Je dois t'avouer que je n'ai vraiment pas porté attention à ce que tu m'as dit. Tu sais comment tu peux être étrange parfois. Je pensais que c'était une autre de tes excentricités. Mais après l'annonce de ta disparition, je m'en suis voulu de ne pas t'avoir pris plus au sérieux. C'est quand même incroyable. Comment as-tu réussi à rajeunir à ce point ?

— C'est une longue histoire.

— Sûrement. Serait-ce la raison de ta disparition et le sujet de ton prochain roman ? La suite de celui que tu viens d'écrire peut-être ! D'ailleurs, la situation que nous vivons présentement ressemble beaucoup à un chapitre de ton roman. Il ne manque plus que les lumières s'éteignent !

Juste à ce moment, comme si le Destin l'avait commandé, les lumières s'éteignent et se rallument aussitôt.

Nous levons la tête et fixons le plafonnier. Que se passe-t-il ?

— Oh, mon Dieu..., s'étonne Patrice. C'est comme dans ton roman ! Cela veut dire que... vite, il n'y a pas une seconde à perdre, nous devons quitter la maison !

Patrice ouvre alors le tiroir de son bureau et en sort une petite clé. Il se lève, se dirige vers la peinture représentant le temple grec et la décroche. Derrière la toile se trouve un coffre-fort incrusté dans le mur. Il utilise sa clé pour ouvrir la porte et revient vers nous, tenant dans ses mains un livre qu'il dépose sur le bureau.

Le livre en question est en fait un carnet violet. À l'exception de l'usure de la couverture et des pages, il est identique à celui que j'ai acheté au centre commercial avec Sophie, hier soir. D'un geste rapide, je plonge la main dans ma poche de veston et en sors le carnet violet que j'ai en ma possession. Je le dépose à côté de celui que possède Patrice.

— Il n'y a pas de doute. C'est le même carnet, juste plus usé par le temps ! affirme Sophie.

— Les pages que j'ai écrites hier soir, au motel, c'est donc cela le roman que j'ai écrit, en fait, que je vais écrire.

— Vous croyez que le manuscrit que désire Darka est celui de votre roman ? questionne Sophie.

— Peut-être. Lors de l'une de nos altercations, Darka m'a mentionné que mon roman était très instructif. On y apprend sûrement donc quelque chose d'important. De plus, dans l'édition anglaise que tu m'as apportée, enfin, que ton double plus jeune m'a apportée, le nom de Darka s'y trouvait. Elle ne doit pas avoir aimé ce que j'ai écrit sur elle, j'imagine.

— Oui, peut-être. Mais en quoi cela changerait-il quelque chose puisque le livre est déjà publié ? continue Sophie. À moins que Darka soit la cause de la disparition de votre roman dans toutes les librairies de la ville.

— Je ne sais pas… Mais oui ! Peut-être que si elle obtient le manuscrit, elle pourra retourner dans le passé pour annuler la publication du roman. Plus de manuscrit, plus de roman !

— C'est incroyable ! s'exclame soudain Patrice. Cela veut donc dire que tu n'as rien inventé. Tu es vraiment venu dans le futur par l'ascenseur de ton école? C'est complètement fou...

— Par l'ascenseur de l'école? C'est ce qui était prévu, mais ce n'est pas comme ça que ça s'est passé. Je suis arrivé par...

Les lumières s'éteignent encore. Mais cette fois-ci, elles ne se rallument pas.

— Que se passe-t-il? Une panne de courant?

Sophie se lève et regarde par l'une des fenêtres.

— Si c'est une panne, elle se limite à ici. Les autres maisons sont alimentées!

Des voix se font alors entendre. Elles semblent provenir du rez-de-chaussée.

Patrice nous jette un regard à la fois sérieux et désespéré.

— Alex, vous devez partir immédiatement! C'est comme dans ton livre! Ils savent que vous êtes ici! Vite! Ils ne doivent pas avoir le manuscrit! s'écrie Patrice en me fourrant les deux carnets violets dans les mains. Ils arrivent...

10

Fuir

Patrice ouvre la porte tout en nous faisant signe de faire silence. Parmi les voix qui parviennent du rez-de-chaussée, je reconnais celle de Darka qui crache des ordres.

— Vous deux, vous vous occupez du deuxième étage. Ils sont cachés quelque part dans le bureau. N'oubliez pas, je veux l'enseignant vivant ! L'éditeur et la fille, par contre, ne nous sont d'aucune utilité. Les autres, vous venez avec moi, le manuscrit est caché quelque part dans un coffret de sûreté. Fouillez toute la maison. Je veux ce manuscrit !

— Darka, dis-je à voix basse. Comment sait-elle que nous sommes ici ?

— C'est évident, répond Sophie. C'est sans doute dans la suite de votre roman. Cependant, vous ne l'avez pas encore écrit. Il est donc certain que vous allez réussir à sortir d'ici. Pour Patrice et moi, c'est autre chose… Si seulement j'avais trouvé un exemplaire du livre ! J'aurais su qu'ils viendraient et nous ne serions pas dans cette fâcheuse position !

— Peu importe. Nous devons absolument fuir. Elle ne doit pas mettre la main sur le manuscrit.

— Il y a un escalier à l'autre extrémité de la maison qui mène à la salle de séjour, dit Patrice. De là, nous pourrons sortir par la cour située à l'arrière.

Des bruits de pas. Quelqu'un monte l'escalier. Deux personnes. Patrice referme rapidement la porte du bureau.

— Chut. Ils sont dans le bureau, dit la voix d'un jeune homme. On a intérêt à les trouver, sinon Darka et le patron ne seront vraiment pas ravis.

Ainsi donc, Darka travaille pour quelqu'un. Elle n'est qu'un pion dans cette mystérieuse partie d'échecs. Et moi, je suis sans aucun doute le fou du roi.

— Mais la maison est immense ! Tu as vu le nombre de pièces qu'il y a à cet étage. Il doit bien y en avoir une dizaine. Comment savoir où est le bureau ? Ça va prendre du temps pour les trouver.

— Raison de plus pour commencer, répond l'autre en s'engouffrant dans une pièce.

Imitant son compagnon, il ouvre une porte et se glisse dans une des multiples pièces.

— C'est le moment ou jamais. Quand les hommes changeront de pièce, nous nous rendrons le plus rapidement et le plus silencieusement possible jusqu'au bout de l'allée. Ensuite, nous devrons prendre le corridor de droite. C'est lui qui mène à l'escalier qui donne sur la salle de séjour et…

Patrice arrête soudainement de parler, car les deux gothiques sortent de leur pièce respective.

— Tu as trouvé quelque chose ?

— Non. Essayons les autres chambres.

Et ils se lancent à nouveau dans leur recherche.

— Allez ! Maintenant !

D'un seul bond, nous nous élançons à pas feutrés dans le corridor. Oh non ! L'un d'eux vient de terminer sa fouille et revient déjà. Malgré tout, je réussis à atteindre l'extrémité sans me faire voir. Malheureusement, Sophie et Patrice, pris au piège, ont dû faire marche arrière et revenir dans le bureau afin de ne pas se faire repérer.

Sans attendre son comparse, le gothique entre dans une nouvelle pièce. Sophie et Patrice s'élancent. C'est alors que les lampes et les plafonniers de la maison se rallument. Je suis ébloui par cette lumière vive trop soudaine. Je prends quelques instants pour que ma vue revienne à la normale et tente un regard dans le corridor. Mais qu'est-ce que… ?

Je suis saisi par l'horreur de la situation. Debout au centre du couloir se tient Darka qui me regarde droit dans les yeux. Derrière elle, ses subalternes tiennent prisonniers Sophie et Patrice.

— Sortez de votre cachette, cher professeur. Les jeux sont faits et rien ne va plus, me lance Darka sur un ton qui se veut humoristique.

Je m'avance vers elle.

— Quel dommage, si nous avions eu un peu plus de temps, votre cher ami aurait pu nous remettre le manuscrit et nous n'aurions pas le malheur de nous retrouver dans cette fâcheuse situation. Allons, monsieur le professeur. Remettez-le-moi et vos deux amis auront la vie sauve.

— Je… Je ne l'ai pas.

— Mensonge, répond calmement Darka. Je sais que vous l'avez en ce moment même dans la poche de votre veston. Allez. Donnez-le-moi !

— Non ! s'écrie Sophie. Ne leur remettez surtout pas le manuscrit !

— Silence ! crie Darka avec fureur tout en levant la main pour frapper Sophie.

Au même moment, un coup de tonnerre retentit et une vive lumière dorée se matérialise à la droite de Darka. La seconde suivante, le vieil homme vêtu de blanc se tient debout dans le corridor, retenant solidement le bras vengeur de la jeune fille.

— Ça suffit, Darka, dit le vieil homme. Cesse toute cette violence.

— Mais… qui diable êtes-vous ? demande Darka, visiblement troublée par cette apparition.

— Je suis quelqu'un qui te connaît bien et qui est désolé de ce que tu es en train de devenir.

— Oh, comme c'est mignon, rétorque-t-elle en lui donnant un coup de pied.

Mais l'homme réussit à bloquer le coup en attrapant le pied de Darka de sa main libre.

— Tellement prévisible. Tu me déçois, jeune fille. Je croyais pourtant t'avoir appris à bien te battre.

— Quoi? C'est impossible… Vous n'êtes pas…

Se tenant debout sur une seule jambe, elle regarde l'homme, complètement abasourdie. D'un geste fluide, celui-ci lance Darka à travers une des pièces de l'étage comme si elle était aussi légère qu'un vulgaire ballon.

— Allez, m'ordonne-t-il en se retournant. Fuyez, sortez d'ici!

— Mais…

— Ne vous inquiétez pas pour vos amis. Peu importe la tournure des événements, ils s'en sortiront, je vous l'assure, dit-il en me souriant. Ne vous ai-je pas déjà affirmé que nous n'étions jamais seuls face aux épreuves?

Décidé à faire confiance à mon mystérieux allié, je m'élance dans l'escalier menant à la cour arrière de la demeure. Après tout, je dois dire que, malgré son âge avancé, l'homme est très fort et sait bien se défendre.

Arrivé à l'extérieur, je me dirige vers le devant de la maison et traverse l'avenue en courant. Je repère un véhicule stationné à une quinzaine de mètres de la maison de Patrice et me cache derrière.

Juste à temps, car la porte principale vient de s'ouvrir et je vois les gothiques emmener de force Sophie et Patrice qu'ils poussent dans une fourgonnette blanche stationnée en face de la maison. Le même véhicule appartenant au gouvernement qui était garé devant chez Sophie. Je tente de voir si mon nouvel allié a lui aussi été fait prisonnier, mais l'homme à la soutane blanche ne semble pas être avec eux. Soudain, Darka sort en titubant et s'essuie le visage légèrement couvert de sang. Lorsqu'elle arrive à proximité de la camionnette, elle s'arrête et regarde les environs.

— Oh, je sais que vous êtes caché quelque part, cher professeur ! Si vous voulez retrouver vos amis, apportez-moi le manuscrit à votre ancienne école, mais attention… gardez en tête que vous avez eu de la chance ce soir ! Profitez-en, car elle ne sera pas toujours au rendez-vous ! Je connais la suite du roman. Vous ne pourrez échapper à votre destin ! Ha ! ha ! ha !

Toujours en riant, elle embarque dans la fourgonnette. Celle-ci démarre et s'élance sur la route en emmenant avec elle Sophie, Patrice et mes derniers espoirs de retrouver enfin une vie normale.

11

Je suis navré, monsieur !

Désespéré par l'enlèvement de mes amis et ne sachant où aller dans ce futur qui ne devrait pas être le mien, je déambule dans la ville tel un fantôme. Lorsque je croise des passants, je me cache le visage à l'aide du collet de mon veston afin de ne pas être reconnu. Derrière chaque visage inconnu se cache peut-être un ennemi potentiel.

Cela fait maintenant presque deux heures que je marche, que je pense, que je réfléchis à ce que sera la suite des événements.

Mon nouvel allié, le vieillard à la robe blanche, s'est encore une fois volatilisé. Après le départ de Darka et de sa bande, je suis retourné dans la maison de Patrice. Malgré les signes évidents de lutte, je n'ai trouvé aucune trace du vieil homme. La bonne nouvelle est que Darka n'a visiblement pas réussi à avoir le dessus sur cet adversaire pour le moins surprenant. Adversaire qui semblait bien la connaître d'ailleurs. La mauvaise nouvelle est que je me retrouve encore une fois seul.

Je lève la tête. Sans le savoir, mes pas m'ont conduit devant un café où j'avais l'habitude d'aller lorsque j'étais à l'université. Je suis surpris de le savoir encore ouvert après presque une quarantaine d'années.

Je pénètre à l'intérieur et constate que le décor a très peu changé. De petites tables rondes sont dispersées ici et là alors que de gigantesques banquettes peuvent accueillir cinq ou six personnes le long des murs. Sur ceux-ci, toujours peints de couleur rouge feu, sont exposées les dernières toiles des artistes locaux qui tentent de percer dans le domaine des arts. Les lumières sont tamisées et on entend un mélange intéressant de jazz et de musique électronique qui donne à ce petit café une ambiance feutrée.

Je m'assois à une table dans un coin isolé. Presque aussitôt, un jeune serveur arrive et je commande un mokaccino. Quelques minutes plus tard, il revient avec mon café qui dégage une odeur réconfortante.

Aussitôt le serveur parti, je sors de mes poches les deux manuscrits et les dépose devant moi. Au premier coup d'œil, je peux dire qu'il s'agit bel et bien du même carnet. À la différence que l'un a une couverture beaucoup plus usée que l'autre. L'écriture est également identique et il n'y a aucun doute possible quant à l'identité de l'auteur : dans les deux cas, c'est bien moi qui ai rédigé ces pages. Je ne remarque qu'une seule distinction : le carnet à la couverture usée contient plus d'écriture. Logique, puisque je n'ai acheté le mien qu'il y a très peu de temps et que je n'ai pas encore eu la possibilité de rédiger d'autres pages.

Il ne me reste plus maintenant qu'à vérifier le contenu. Peut-être y a-t-il une information dans le vieux manuscrit qui va m'aider à comprendre la situation surréaliste dans laquelle je me trouve en ce moment ? Peut-être trouverai-je également le moyen de retourner dans le présent ? Je sens l'espoir monter en moi.

Sur la table, j'ouvre les deux carnets et commence ma lecture. Jusqu'à présent, l'histoire commence de la même manière. Je parle des rêves qui me hantent… Ensuite, j'arrive à l'école. Je m'arrête dans la cafétéria pour écouter un message du ministre de l'Environnement, M. Turner. C'est alors que Sophie vient m'annoncer qu'elle a lu mon mystérieux roman. Vient ensuite l'arrivée de Darka en classe, mon malaise dans le corridor, mon altercation avec la bande de gothiques à la chevelure rouge, ma rencontre avec la Sophie du futur à la nouvelle bibliothèque et mon retour à la maison suivi de mon horrible douleur à la nuque et pouf ! Bonjour l'an 2030 !

Non. Dans la vieille version du manuscrit, cet incident n'est pas présent. Je suis rentré à la maison comme prévu. Je me suis lavé et j'ai mangé un morceau. Je me suis ensuite questionné sur les événements étranges de la journée. J'ai repris ma voiture et j'ai filé en direction de l'école. Arrivé sur place, j'ai fait croire au concierge, comme me l'avait conseillé Sophie, que j'avais oublié mes copies à corriger sur mon bureau. Ensuite, j'ai pris l'ascenseur qui mène jusqu'à la nouvelle bibliothèque. Les portes se sont ouvertes et je me suis retrouvé en 2030…

L'ascenseur. Voilà la solution à mon problème ! Si je retourne à l'école, qui fait maintenant partie d'un complexe gouvernemental, je pourrai repartir en 2010 et quitter ce futur horrible. Pourquoi n'y ai-je pas pensé plus tôt ? Il faut dire qu'avec tous les événements que j'ai vécus dernièrement, l'ascenseur était bien le dernier de mes soucis. Maintenant, tout ce qu'il me reste à faire est d'entrer incognito dans le complexe…

Mais pénétrer dans un immeuble gouvernemental la nuit est plus facile à dire qu'à faire. Surtout avec la guérite à l'entrée du stationnement, les caméras de surveillance et tous les autres moyens de sécurité. En vingt ans, les technologies ont sûrement évolué et les édifices doivent être munis de tous les systèmes dernier cri. Que faire ?

Je délaisse mes problèmes d'introduction dans le bâtiment pour replonger dans la lecture du vieux manuscrit.

Je suis maintenant sorti de l'ascenseur. Le couloir vitré menant à la bibliothèque est désert et plongé dans la pénombre. De plus, celle-ci semble fermée, car toutes les lumières sont éteintes. Pourtant, un bruit sourd provient de derrière la porte. Je m'avance à pas feutrés et elle s'ouvre automatiquement. Je pénètre à l'intérieur.

Le bruit que j'entendais se précise. Il s'agit des cris d'un homme. En fait, on dirait plutôt des lamentations. Elles semblent venir d'un endroit situé à l'arrière de la bibliothèque. Je m'y dirige tout en m'assurant que je ne suis pas repéré par quelqu'un ou par une caméra de surveillance. J'arrive devant une porte et remarque qu'elle est différente des autres portes de la bibliothèque. Celle-ci est faite de métal gris et possède une inscription indiquant que son accès est réservé au personnel de l'établissement. Les lamentations se font de plus en plus intenses. La personne a l'air de souffrir le martyre. Poussé par un sentiment de pitié, je tente ma chance. J'ouvre la porte et la referme rapidement derrière moi.

Une odeur de médicament me monte au nez, assez forte pour me donner un haut-le-cœur. Devant moi, un corridor enfumé semble s'étendre jusqu'à l'infini. Une faible lumière est diffusée par de vieux tubes fluorescents qui clignotent à intervalles irréguliers, ce qui rend l'aspect des lieux encore plus sinistre. De chaque côté se trouvent une multitude de portes grises semblables à celle que je viens tout juste de franchir.

Les lamentations cèdent maintenant leur place à de véritables cris de douleur. Tremblotant, je marche jusqu'à l'endroit d'où proviennent les plaintes. La porte numéro 8, mon chiffre chanceux. Je m'arrête et tente de contrôler ma respiration. J'ai peur. Que diable se passe-t-il ? Qui torture-t-on ainsi ? Il n'y a qu'une seule manière de le savoir. Je prends la poignée et…

Du café. Du café se déverse partout sur le manuscrit. Je relève la tête. Le serveur me regarde, confus.

— Je suis navré, monsieur ! Laissez-moi arranger cela !

Il m'arrache le cahier des mains et tente d'éponger le plus de liquide possible en le pressant avec un linge usé. Résultat : le papier, abîmé par le temps et imbibé de café, se déchire. Le vieux manuscrit est maintenant illisible.

***

Après avoir payé ma note et écouté le serveur se confondre en d'interminables excuses, je quitte le café dans une colère noire. Je n'en veux pas au serveur, non, mais à la situation ironique dans laquelle je me trouve. Juste au moment où j'allais peut-être lire une information importante, la vie m'a joué un sale tour. À croire qu'on se fiche de moi !

D'un pas rapide et décidé, je marche en direction de mon ancienne école. Je n'ai qu'une idée en tête : pénétrer à l'intérieur, libérer mes amis et tirer enfin au clair toute cette histoire abracadabrante. Et cela, peu importe les conséquences. De toute façon, que peut-il m'arriver de pire ?

Arrivé à proximité du complexe gouvernemental, un bruit d'explosion se fait entendre. Tous les lampadaires de la rue s'éteignent et les immeubles se retrouvent dans le noir les uns après les autres. Paniqués, des citoyens quittent leurs maisons et se massent dans les rues.

— Que se passe-t-il ? demande une dame.

— Je crois que c'est un transformateur qui vient de rendre l'âme, répond un homme.

— Encore ? C'est la troisième fois cette semaine ! Maudit système électrique pourri !

Je m'approche du couple et demande pourquoi les pannes d'électricité sont si fréquentes. Ahuri par ma question, l'homme me regarde en pointant le ciel rouge.

— Alimenter un champ de force assez puissant pour protéger une ville entière, ça demande beaucoup d'énergie. Les transformateurs ont donc une durée de vie relativement limitée. Alors, lorsque l'un d'eux rend l'âme, on coupe sur les dépenses d'énergie inutiles et ce sont les habitants de la ville qui se retrouvent plongés dans le noir…

Sceptique, je lève la tête et regarde le ciel.

— Ça ne vous a jamais tenté de vérifier si le ciel était encore une menace ? Peut-être que les orages sont terminés et qu'il n'est plus nécessaire de se protéger ?

— Comment ? Vous insinuez que le gouvernement pourrait nous mentir ?

Le ton de l'homme est sévère, comme si je

venais de dire une grossièreté. Je décide de le quitter et de poursuivre mon chemin.

Une fois en face du bâtiment, je remarque que le gardien de sécurité a quitté son poste. Il n'y a personne à la guérite. De plus, les caméras de surveillance sont hors tension et fixent le sol. Dieu bénisse ce transformateur! Je continue jusqu'à l'entrée principale. La porte n'est pas verrouillée et je pénètre à l'intérieur de l'édifice. Voilà. Mon premier objectif est atteint. Maintenant, je dois libérer mes amis. Mais comment savoir où ils sont? L'immeuble est immense.

Je repense à la porte de métal située dans la bibliothèque. Celle d'où les cris de douleur provenaient. Et si c'était les cris de Sophie et de Patrice? Je ne le souhaite pas, mais c'est le seul indice que j'aie pour le moment. Mon prochain arrêt sera donc la bibliothèque, située au deuxième étage.

Je remarque alors l'épaisse noirceur qui m'entoure. Il fait très sombre. En fait, on n'y voit rien du tout. Je sens la panique m'envahir, ma respiration s'accélère. Je retiens mon souffle quelques instants et tends l'oreille. Aucun bruit. Je suis bel et bien seul. Néanmoins, je ne peux pas rester sur place indéfiniment. Je dois bouger. Mais comment m'orienter dans le noir?

Voyons, Alexis. Ressaisis-toi! Tu connais cet immeuble. Tu y enseignes depuis maintenant cinq ans. Il t'est donc facile de t'y repérer!

Touchant le mur de la paume de ma main, je commence à déambuler dans le labyrinthe de corridors. Dans dix pas environ, je dois tourner à droite. Maintenant à gauche. Dans vingt pas, je devrais atteindre l'ascenseur et… oh non ! Je ne peux pas prendre l'ascenseur, il n'y a plus d'électricité ! Voyons, où sont les escaliers de secours ? Je crois qu'ils sont au bout du…

Des voix derrière moi. Elles se rapprochent. Je n'ai aucun endroit où me cacher. Je décide de m'accroupir le plus possible près du sol et de me coller au mur. Le couloir est large, peut-être que les personnes passeront près de moi sans même prendre conscience de ma présence. Les voix sont maintenant assez près pour que je puisse comprendre la conversation.

— Alors, où en sont vos recherches ? demande une voix nasillarde avec un fort accent anglais.

— Ça avance, monsieur le premier ministre, répond une autre voix d'homme. Nous ne comprenons toujours pas pourquoi le générateur ne s'est pas enclenché automatiquement. C'est la première fois que cela se produit.

— *Hurry up !* Rendez-vous au sous-sol et enclenchez-le immédiatement !

— Ce n'est pas tout, monsieur Turner. Il semble qu'il y ait un problème en ce qui concerne la sécurité.

— *What ?* Quel problème ? répond le premier ministre, presque hystérique.

— Eh bien, juste avant la panne, toutes les portes du bâtiment se sont déverrouillées. Présentement, n'importe qui peut pénétrer ou sortir de l'immeuble. La porte de la zone réservée est également déverrouillée…

— *You stupid!* Occupez-vous de mettre le générateur en fonction et ensuite, organisez une fouille complète. Et surtout, assurez-vous que personne n'entre dans la zone prohibée du deuxième étage ou j'aurai votre peau, agent Travis! *Do you understand me?*

— Oui, oui… monsieur le premier ministre.

Les deux hommes passent près de moi sans me toucher. Peu après, j'entends l'agent s'élancer au pas de course dans l'escalier de secours menant au sous-sol et M. Turner s'engouffrer dans une pièce.

Le silence revenu, je me précipite à mon tour dans l'escalier. Je monte les marches quatre à quatre. Je dois absolument pénétrer dans la zone réservée avant que l'agent Travis ne mette le générateur en service. J'ouvre la porte du deuxième étage et aperçois celle de la bibliothèque. Elle est ouverte. J'entre à l'intérieur et remarque tout de suite la porte de métal telle que décrite dans le vieux manuscrit. Je tire sur la poignée. Elle s'ouvre et se referme derrière moi. Au même moment, la lumière revient et un bruit métallique se fait entendre, m'indiquant que la porte vient tout juste de se verrouiller automatiquement.

J'ai réussi à atteindre la zone prohibée. Bravo! C'est vraiment super! Maintenant, comment vais-je faire pour en sortir?

12

ZONE PROHIBÉE

La première chose qui me frappe, c'est la ressemblance entre ce que je vois et la description lue dans l'ancien manuscrit: même corridor enfumé qui semble s'étendre à l'infini, mêmes lumières clignotantes et même odeur écœurante de médicament. Il ne manque plus que les cris de souffrance. Mais il n'y a aucun bruit, sinon celui incessant de la ventilation.

J'avance. Le son de mes pas se répercute dans un interminable écho. Si je ne voulais pas me faire repérer, eh bien c'est raté. Je marche lentement en regardant les numéros inscrits sur les diverses portes en métal. À ma droite, le numéro 2. La porte numéro 8 ne devrait pas être loin.

J'accélère le pas. Tant pis pour le bruit ! Porte 5. Porte 6. Porte 7. Mon pied heurte soudain quelque chose par terre. Je me penche et ramasse une carte magnétique. Y figurent le nom et la photo de l'agent Travis. Tss-tss-tss… On est distrait, agent Travis ! Finalement… porte 8.

Je l'examine. Pour la première fois, je remarque que toutes ces portes sont munies d'un dispositif de sécurité. C'est étrange, car ce n'était pas ainsi dans l'ancien manuscrit. Pour ouvrir la porte, je dois glisser une carte magnétique dans une fente. Espérons que celle de Travis me permettra d'entrer.

Je la glisse et une lumière verte m'indique que l'accès a été autorisé. Je tourne la poignée et entre doucement. Mon estomac se contracte. L'endroit est plongé dans les ténèbres, à l'exception du centre de la pièce où se trouve un plafonnier dont le faisceau lumineux est dirigé vers le sol. Juste sous celui-ci, un homme, tête penchée, est assis sur une chaise qui ressemble un peu à celle d'un dentiste. De grandes lanières de cuir le retiennent.

Près de la chaise, il y a une petite table où sont disposées de multiples seringues. Des drogues, sans doute… ou pire ! Mon imagination s'emballe en pensant à ce qu'on a pu faire subir à ce pauvre inconnu.

— Oh, mon Dieu…

Après un bref instant, je sors de ma stupeur et m'avance vers lui afin de l'aider à se redresser. À mon contact, l'homme se met à gémir.

— Ne vous en faites pas, je vais vous sortir de là.

C'est alors que des rires résonnent dans la pièce.

— Ne vous en faites pas, je vais vous sortir de là ! fait une voix m'imitant de manière enfantine.

Je me retourne pour voir de qui il s'agit, mais la noirceur m'empêche de distinguer quoi que ce soit. Je ne vois même pas les murs tellement il fait sombre.

— Quel idéaliste ! Mais dites-moi, jeune homme, comment allez-vous faire pour sortir d'ici avec cet homme qui ne peut visiblement pas mettre un pied devant l'autre ? demande l'individu sur un ton glacial et mielleux à la fois.

Des pas se font entendre. Mon mystérieux interlocuteur sort de l'ombre et va se placer derrière la chaise. Je n'arrive pas à voir son visage. Sur mes gardes, je recule de quelques pas…

— Alors. J'attends. Allez-vous répondre à ma question ? insiste l'inconnu, impatient.

— Je… Je ne sais pas.

— Évidemment que vous ne savez pas ! Vous ne savez même pas ce que vous faites ici ! Ha ! ha ! ha !… Eh bien, je vais vous le dire. Vous êtes ici parce que je le veux bien, voyez-vous ! En fait, j'espérais que vous viendriez. Et vous ne m'avez pas déçu ! Bien sûr, je vous ai aidé quelque peu…

— Comment ? Je…

— Pensez-vous vraiment que vous avez trouvé la carte magnétique de l'agent Travis par hasard ? Bien sûr que non ! Nous vous avons tendu un piège et vous êtes tombé en plein dedans !

Il a raison. Je réalise trop tard avec quelle imprudence j'ai pénétré dans le bâtiment. Quel idiot je fais ! Mais au fond, avais-je vraiment le choix ?

— Mais qui êtes-vous à la fin ?

L'homme cesse soudain de rire et réfléchit à ma question.

— Ah… ça, c'est une excellente question. Mais ce n'est pas la question que vous devriez vous poser, très cher.

— Quelle est la question que je devrais me poser, alors ? répondis-je sur un ton qui se voulait brave.

— La véritable question devrait être : « Êtes-vous prêt à savoir qui je suis ? », dit l'homme d'une manière très solennelle en entrant complètement dans la lumière.

Je n'en crois pas mes yeux. L'homme qui se tient devant moi est mon double, âgé peut-être d'une quarantaine d'années. Il a les traits un peu plus creusés que les miens et ses tempes sont grises. Il est vêtu d'un pantalon et d'une chemise noire agrémentée d'une cravate en cuir rouge, ainsi que d'une longue redingote comme je les aime.

Sans aucun doute, l'homme qui se trouve devant moi n'est nul autre qu'une version future de ma personne. Je devrais être rassuré. Pourtant, la lueur de folie que je vois dans ses yeux n'a rien de très rassurant.

— Vous n'êtes pas moi, lui dis-je.

— Ha ! ha ! ha !… Vous avez peut-être raison,

très cher, me répond-il en déposant une main gantée de noir sur la tête penchée de l'inconnu. Peut-être est-ce lui ?

C'est alors qu'il relève la tête de l'inconnu en lui tirant violemment les cheveux. Je peux maintenant voir ses traits. Comme mon interlocuteur, l'homme assis sur la chaise ressemble à une version future de moi-même. On dirait vraiment deux frères jumeaux. Les seules différences entre mon interlocuteur et lui sont les multiples coupures et ecchymoses au visage. Ce dernier ouvre soudain les yeux et plonge son regard dans le mien.

— Alexis…

Effrayé, je retourne le plus rapidement possible vers la porte par laquelle je suis entré. Mais l'issue est bloquée par Darka et sa bande de gothiques. Souriante, elle me regarde d'un air triomphant.

— On pensait aller quelque part ?

***

Je suis coincé. D'un côté, Darka et sa bande, et de l'autre, une version maniaque et âgée de moi-même et une deuxième au visage lacéré, incapable de m'aider. Vraiment pas de quoi paniquer !

Peut-être y a-t-il une autre sortie ? Mais impossible de le savoir. Il fait tellement sombre que je n'arrive même pas à voir les dimensions exactes de la pièce.

— Rendez-vous, professeur. Vous êtes fait

comme un rat, me lance mon alter ego vêtu de noir. Vous deux, dit-il en pointant les gothiques, allez chercher des chaises, je vais avoir une petite discussion avec notre cher professeur.

Les adolescents se rendent dans le fond de la pièce et reviennent avec deux chaises, l'une en bois et l'autre en cuir.

— Cela ne vous dérange pas que je prenne celle en cuir, n'est-ce pas? me lance mon double. Allez, allez… assoyez-vous.

Étant donné la situation, je n'ai guère le choix de me prêter au jeu.

— Alors, vous vous demandez sûrement ce que vous faites ici, je suppose? Eh bien, laissez-moi vous éclairer, dit-il en se levant. Toute cette histoire a commencé par un rêve. C'était le plus beau rêve, MON rêve… Celui de conquérir le monde. N'est-ce pas fantastique?

— Je présume, oui…

— Ne m'interrompez pas! Et j'ai réussi… c'est ce qui est merveilleux, non?

Embarrassé par sa question, je le regarde pour savoir si j'ai le droit de répondre.

— Malheureusement, ce n'était pas assez… j'en voulais plus.

— Maintenant, c'est sûr, vous n'êtes pas moi!

Mon double se retourne et se penche vers moi, me considérant avec dédain.

— Évidemment! À part l'apparence physique et le nom, nous n'avons rien, RIEN en commun. Vous êtes un idéaliste qui s'évertue à enseigner des règles de grammaire à une jeunesse troublée qui n'en a rien à faire de savoir écrire ! Tout ce qu'ils aiment faire, c'est se vautrer dans une culture américanisée qui valorise l'argent, le sexe et le plaisir…

— C'est faux, ils ne sont pas tous comme ça… J'ai espoir en eux !

— L'espoir ? Pfff ! Vous êtes un lâche qui refuse de voir la vérité en face…

— Et vous, qu'êtes-vous donc ?

— Je suis un scientifique hors du commun ! Un homme qui a décidé de prendre le taureau par les cornes et qui a créé un monde à son image ! Voilà ce que je suis ! Mais lui, cette pitoyable version future de vous-même assise et ligotée près de nous, a décidé de publier le carnet dans lequel il avait rédigé ses aventures. Bien entendu, les gens ont d'abord pris cette histoire pour de la fiction, mais certains journalistes ont commencé à relever que des passages concordaient étrangement avec la réalité et se sont mis à poser des questions embarrassantes à notre cher premier ministre, M. Turner…

— Je comprends maintenant. Turner n'a jamais inventé ce ciel artificiel. C'est vous qui le lui avez donné en cadeau…

— C'est exact, en échange de son silence. J'ai fait de lui un héros et le pauvre peuple ignare l'a élu premier ministre ! Comme c'est ironique ! Pendant ce temps, je me prépare tranquillement à envahir votre monde ! Et quand le temps sera venu, je me débarrasserai de ce Turner ! Voilà pourquoi j'ai fait retirer votre roman des rayons de toutes les librairies et bibliothèques. Mais après mûre réflexion, j'ai décidé d'en empêcher la parution. C'est pourquoi votre manuscrit doit disparaître !

L'homme, fou de rage, avance vers moi et plonge sa main dans la poche de mon veston pour en sortir mon carnet violet, le manuscrit. Darka s'approche alors de mon double.

— Maître, il se pourrait que ce manuscrit ne soit pas le bon. Plusieurs événements se sont déroulés qui ne sont pas écrits dans le roman. Par exemple, il y a la présence de ce vieil homme vêtu de blanc. De plus, j'ai vérifié avec la sécurité, le professeur n'est pas arrivé dans ce futur par l'ascenseur comme cela est décrit dans le bouquin.

— Comment ? Mais c'est impossible ! Le seul moyen de passer d'un temps à l'autre est l'ascenseur temporel que j'ai inventé… À moins que… Cher professeur, comment avez-vous fait pour arriver jusqu'ici ? Cela aurait-il un lien avec ces rêves étranges que vous faites ? Que savez-vous sur Chronos ?

— Je ne sais rien…

— NE JOUEZ PAS AVEC MOI ! dit-il en me giflant.

Sonné, je tente de reprendre mes esprits. Du sang coule sur mon menton, je crois que ma lèvre est déchirée.

— C'est la vérité, dis-je. Je ne sais rien !

— Eh bien, ce n'est pas ce que pensent

certains de mes associés. Laissez-moi vous aider à retrouver la mémoire.

Des lumières rougeâtres s'allument au plafond. Deux gothiques se saisissent alors de moi et me jettent dans une espèce d'aquarium en verre situé dans un coin de la pièce. L'aquarium se referme. Je suis emprisonné, terrifié par la tournure des événements. Mon Dieu, que vont-ils faire?

Dans le fond de la pièce, j'aperçois Sophie et Patrice qui sont menottés à des chaises semblables à celle retenant prisonnier mon autre double. Toute souriante, Darka pousse la chaise de Sophie vers le centre de la pièce. Ensuite, elle déplace un plateau contenant diverses seringues. Oh non! Mon esprit s'emballe en pensant à ce qui est sur le point de se produire.

— Comme je vous le disais plus tôt, je suis un scientifique. Bien évidemment, dans ma quête de connaissances, j'ai dû faire quelques petites… expériences. J'ai d'ailleurs fait la fantastique découverte de certains produits chimiques très néfastes pour la santé. Mais comme je suis un homme occupé, je n'ai malheureusement pas eu le temps de tous les tester. J'en ai essayé quelques-uns sur votre autre double, mais comme vous pouvez le constater, il ne semble plus en mesure d'en prendre plus! Alors, je suis sûr que votre ancienne élève acceptera volontiers de servir de cobaye. N'est-ce pas, très chère? À moins, bien sûr, que vous nous aidiez à résoudre le mystère de votre venue en ce futur…

— Je ne sais rien, je vous dis ! Laissez-la ! Elle n'a rien à voir là-dedans !

— Mauvaise réponse. Vous avez échoué à votre examen ! Ha ! ha ! ha !… Voyons si votre élève pourra faire mieux, dit l'homme en approchant une seringue remplie d'un liquide verdâtre près de son visage.

Sophie regarde l'homme, terrorisée. Elle pleure et se débat sur sa chaise en tentant de défaire ses liens.

À bout de nerfs, je frappe le verre de mes points. Je ne peux pas croire ce qui arrive. La colère monte en moi. Je dois faire quelque chose ! Une douleur se fait sentir à ma nuque… Oh non… Ma tête… Elle va éclater…

Un coup de tonnerre retentit. Des éclairs jaillissent littéralement de ma tête, de mes yeux. Ma peau grésille comme si elle était parcourue par une grande énergie électrique. Les lumières de la salle explosent une à une. La douleur est insupportable… Je dois crier pour la laisser sortir !

— Aaaaaaaaaah !

Une onde de choc part soudain de ma tête et fait voler en éclats la cage en verre qui me retient prisonnier. Mon double, Darka et sa bande se retrouvent projetés dans le fond de la pièce.

La douleur disparaît soudainement et je m'effondre sur le sol, épuisé.

13

Coup de tonnerre

Lorsque je reviens à moi, mes adversaires sont encore étendus sur le sol. Je me relève et me précipite vers Sophie afin de défaire ses liens. Elle est menottée, impossible de la libérer sans la clé.

— C'est ça que vous cherchez peut-être ?

Darka, debout et remise, me nargue en faisant danser la clé entre ses doigts. Mon double maléfique s'est également relevé et avance lentement vers moi.

— Allons, professeur. Rien ne sert de s'énerver ! Nous venons d'assister à un phénomène pour le moins exceptionnel. Si vous venez avec moi, je pourrais vous aider à contrôler vos nouvelles... capacités et peut-être trouver la réponse à l'énigme de vos rêves. Ensemble, nous pourrions accomplir de grandes entreprises...

Je dois tenter quelque chose et vite. Je décide de

marcher lentement de la manière la plus menaçante possible en direction de mon interlocuteur. J'ignore comment j'ai réussi à faire tout voler en éclats, mais espérons que la magie opère encore !

C'est alors qu'un coup de tonnerre retentit et qu'une lumière vive à la fois blanche et dorée éclaire la pièce. Cette lumière est si aveuglante que je dois détourner mon regard et me couvrir le visage. Subitement, la lumière disparaît comme elle est venue.

Je me retourne et constate qu'entre mon alter ego et moi se tient le vieil homme à la robe blanche.

— Tiens, tiens, tiens. Voilà qui est intéressant ! s'exclame le scientifique fou.

— C'est l'homme dont je vous ai parlé, maître, dit Darka.

— Peu importe qui il est ! Saisissez-vous d'eux immédiatement !

Darka et sa bande s'élancent vers nous. Au même instant, mon nouvel allié m'agrippe un bras tout en me faisant un clin d'œil.

— Attention au décollage, me lance-t-il tout souriant.

Une onde de choc me traverse soudain le bras puis tout le corps comme si je me faisais électrocuter. J'ai l'impression que je vais exploser. Je vois Darka et sa bande courir vers nous, mais de plus en plus lentement. Comme si j'avais devant les yeux un film se déroulant au ralenti.

Et puis soudain, plus rien. C'est le noir

complet. Partout où mon regard se pose, il n'y a que le vide. Je n'ai rien sous mes pieds. En fait, je ne vois même plus mes pieds. J'ai l'impression de tomber et de voler à la fois. Je ne respire plus. Flottant et tombant dans cet espace vide et noir, j'ai l'impression de n'être plus rien et tout à la fois. Comme si ce corps invisible pouvait s'étendre jusqu'à l'infini.

Un point lumineux surgit devant moi. Il devient de plus en plus grand. On dirait l'image d'un parc. Oui, un beau parc avec une belle pelouse verte, des balançoires, un immense carré de sable et de grands chênes… On dirait, mais oui, c'est le parc où j'allais jouer étant enfant !

J'ai maintenant l'impression d'être aspiré dans un trou infiniment petit. Je me sens tellement compressé qu'il me semble que je vais vomir…

À genoux, je vide mon estomac sur la pelouse.

— Oui, c'est toujours comme ça la première fois, me dit tendrement l'homme à la robe blanche assis sur un banc. Ne vous en faites pas, on s'habitue rapidement…

Je me redresse et regarde le paysage. C'est une belle journée d'été. Le soleil est resplendissant dans un ciel bleu presque sans nuages. Des enfants s'amusent à construire de jolis châteaux dans le carré de sable alors que d'autres se balancent sous la supervision de leurs parents. Il fait une chaleur torride. Je me relève et vais m'asseoir aux côtés du vieil homme.

— Ça va mieux ? me demande-t-il.

— Oui, merci. Mais où sommes-nous ?

— Vous ne reconnaissez pas l'endroit ?

— Si, c'est le parc où j'allais lorsque j'étais enfant. Je venais jouer dans le carré de sable et ma mère s'assoyait sur ce banc pour me regarder.

— C'est exact. C'est bien ce parc, me confirme l'homme.

— Mais comment est-ce possible ? Nous avons voyagé dans le temps ?

— Oui et non. La vérité est beaucoup plus complexe que cela. Et si simple à la fois.

— Eh bien, expliquez-moi…

— Pas maintenant, je veux d'abord que vous assistiez à quelque chose. Tenez, ça commence…

Un garçon jouant dans le carré de sable vient d'éclater en sanglots. Les enfants debout près de lui le regardent en riant. Un homme assis de l'autre côté du parc se lève et se dirige droit sur le carré de sable. Il semble en colère.

Mon cœur se fige. Cet homme, je le connais. Je ne l'ai jamais vu en personne, mais je l'ai déjà vu en photo.

— Mais, c'est mon père…

L'homme à la robe blanche me regarde du coin de l'œil, compatissant.

— Oui, c'est exact. C'est bel et bien votre père.

Celui-ci a maintenant les deux pieds dans le carré de sable. Tour à tour, il regarde le garçon qui pleure et les autres enfants qui ne rient plus, intimidés par sa prestance. Mon père prend le garçon par les épaules et le met debout sur ses jambes.

Il cesse aussitôt de pleurer, regardant l'homme dans les yeux. Je peux maintenant voir les traits de l'enfant. Oh mon Dieu, mais oui, c'est moi… âgé de cinq ou six ans.

— Pourquoi pleures-tu ? demande mon père sur un ton dur.

— Ils disent que mon château n'est pas beau, répond le garçon en pleurnichant.

— Vraiment ? Ils disent cela ? fait l'homme en se tournant vers les autres enfants qui, apeurés par son regard fou, détalent vers leurs parents. Eh bien, continue-t-il, s'ils n'aiment pas ton château, tu sais ce que tu dois faire, Alexis ?

— Non, répond le garçon.

— Tu n'as qu'à démolir les leurs jusqu'à ce qu'il ne reste que le tien, dit mon père en donnant un coup de pied dans l'un des châteaux. Comme ça, tu auras le plus beau château, car il n'y aura plus que celui-là ! Allez, Alexis ! Détruis-les. Détruis ! DÉTRUIS ! ! ! crie l'homme en donnant des coups de pied à tous les vents.

L'enfant regarde son père, perplexe. Les autres parents assistant à la scène n'osent intervenir. Ils ont probablement peur d'être foudroyés par la colère démesurée de cet énergumène.

— Allez, qu'est-ce que tu attends ! Il n'en reste plus qu'un ! Détruis-le, Alexis !

— Non, répond calmement l'enfant.

Le père regarde son fils comme s'il venait de l'insulter. Soudainement, sa large main frappe l'enfant au visage. Le petit tombe par terre. N'en pouvant plus, je me lève du banc et me dirige vers mon père. Mais le vieil homme me retient par la manche de mon veston.

— Non, dit-il. Je comprends votre douleur, mais il vous est interdit d'agir. Courage, c'est presque terminé.

L'enfant se relève sans un mot, sans une larme. Comme s'il était habitué depuis longtemps à se faire frapper et projeter à terre de la sorte.

— Allez, détruis-le! Détruis-le! demande à nouveau son père.

Le jeune garçon s'approche du château de sable construit par l'un des enfants. Avec un regard haineux, il se met à le piétiner sans rien dire, sous le regard admiratif de son père.

— Bravo! Ça c'est mon gars! Allez, on va fêter ça! Un cornet de crème glacée pour mon champion!

Main dans la main, l'homme et l'enfant quittent le parc sous les regards tristes et ébahis des autres parents qui tentent à leur tour de consoler leurs enfants.

Je suis hors de moi.

— Vous me devez des explications! La scène à laquelle je viens d'assister n'aurait jamais dû se produire! Mon père ne m'a jamais battu de la sorte! Il ne s'est même jamais occupé de moi!

Le vieil homme vêtu de blanc m'écoute en fixant la pelouse.

— Je sais, dit-il. Vous n'avez jamais connu votre père. C'est même la première fois que vous le voyez réellement autrement que sur une photo en noir et blanc…

Je suis estomaqué. Je ne sais pas comment il sait tout cela, mais le vieillard a raison. Je n'ai jamais connu mon père. Ma mère m'a raconté que lorsqu'elle lui a appris qu'elle était enceinte, il s'est sauvé. Il a abandonné ma mère comme un lâche et un égoïste. Sans l'hospitalité d'une de mes tantes, ma mère se serait retrouvée enceinte et à la rue le même jour. Après l'accouchement, elle s'est déniché un emploi et un appartement. Pour réussir à subvenir à nos besoins, elle me faisait garder chez une amie de la famille.

Même si cela n'a pas toujours été facile, ma mère affirme être contente que mon père nous ait quittés. Vers la fin de leur relation, il avait un tempérament impulsif et violent. Cela n'aurait sûrement pas été un bon climat dans lequel élever un enfant. Les seuls souvenirs qu'elle ait gardés de sa relation avec cet homme sont un vieux portrait noir et blanc et… moi. « Je voulais que mon fils puisse au moins voir à quoi ressemblait son père ! » m'a-t-elle dit le jour où elle m'a finalement parlé de l'homme qu'il était.

— Oui, c'est exact, dis-je. Mais comment savez-vous tout cela ?

L'homme à la robe blanche se lève alors et plonge ses yeux dans les miens. Je me sens sous l'emprise de son regard. Mes membres figent, je ne peux plus bouger. Soudain, je retrouve l'usage de mon corps et j'observe le décor autour de moi.

Nous sommes toujours au même endroit, mais tout a changé ! Le parc est désert et les modules de jeu semblent désuets. De plus, la nature est morte et le ciel est rouge.

— Où sommes-nous à présent ? Dans le futur ?

— Oui, mais pas celui que vous connaissez. Dans ce futur-ci, l'homme que vous êtes n'existe pas. Il a été remplacé par un être malfaisant, un être imbu de lui-même qui ne recherche que la puissance et le pouvoir absolu. Regardez, là-bas !

Le vieil homme montre du doigt une statue de bronze située au centre du parc. Je m'approche d'elle et réalise qu'il s'agit d'une statue de moi. Sur le socle est écrit : « En hommage à notre grand bienfaiteur, Alexis Ier. »

— Voici l'homme qu'est devenu l'enfant que vous avez vu tout à l'heure. Il s'agit du même homme qui retient vos amis prisonniers.

— Je ne comprends plus rien…

— Normal. Il vous manque encore quelques réponses à vos questions. Allez ! Il est maintenant temps de partir.

— Partir ? Pour aller où ?

— Là où résident vos réponses.

14

LE TEMPLE DE CHRONOS

Sans me prévenir, il m'agrippe le bras. Encore la sensation d'exploser. Le parc s'éloigne pour laisser place au vide. J'ai l'impression que nous nous déplaçons très rapidement. Néanmoins, je n'en souffre pas. La sensation est même très agréable. Je me sens tellement libre. Un point blanc se dessine devant moi, devenant de plus en plus gros. L'image se précise… On dirait… un temple grec ?

Le choc. Encore une fois, je me retrouve à quatre pattes en train de fixer le sol, en pierre cette fois-ci.

— Bravo, me dit le vieillard. Aucun vomissement. Vous vous adaptez assez rapidement. C'est très prometteur…

Je relève la tête pour examiner l'endroit où nous nous trouvons.

— Oh, mais c'est incroyable !

Je suis agenouillé sur la première marche d'un escalier menant au plus beau temple grec que j'aie jamais vu. Non, c'est faux, j'ai déjà vu ce temple ! C'est celui de mon rêve ! Celui de la toile que j'ai peinte et qui était accrochée dans le bureau de Patrice. Il existe donc vraiment !

Le temple ressemble au Parthénon situé à Athènes, mais en beaucoup plus grand. Les colonnes blanches, les frises et même les marches sur lesquelles je me trouve ont des proportions démesurées. Ces dernières semblent avoir été construites pour des pieds trois fois plus grands que les miens. À ma droite se dresse une immense statue d'un guerrier casqué tenant une lance. Le même que celui de mon rêve !

Je me relève et jette un regard vers le ciel. Je suis saisi d'effroi.

Le ciel est noir, pas même une étoile. Comme s'il n'y avait rien… Je me retourne et constate qu'au-delà des marches menant au temple, il n'y a que du vide. Le néant. Je m'avance et me penche. Incroyable ! Le temple ne semble reposer sur aucune fondation. Et malgré l'absence de torche ou de lampe, le monument est illuminé, comme s'il était construit de pierres iridescentes.

— Impressionnant, n'est-ce pas ? me demande le vieil homme.

— Mais où sommes-nous ?

— Nous sommes au centre de tout ce qui existe. Et voici le temple dédié au dieu Chronos.

— Chronos? Mais… c'est le titre de mon roman! Comme… comme le dieu du temps dans la mythologie grecque?

— C'est exact. Ici, le temps ne s'écoule pas. Nous voici au cœur de tout et de rien. Maintenant, suivez-moi.

Nous commençons alors notre ascension des marches. Nous franchissons ensuite la très grande ouverture rectangulaire qui sert de porte. Nous pénétrons dans une immense salle. Les murs sont recouverts d'écritures gravées dans la pierre. Je reconnais les lettres de l'alphabet grec, mais je suis incapable de déchiffrer quoi que ce soit. Dommage.

Au centre de la vaste pièce se dresse une sculpture colossale: trois femmes hideuses, vêtues de robes. Leurs yeux sont clos. Elles ont les paupières et la bouche fermées par un fil qui leur perce la peau. Ce même fil sort tantôt de leurs bras, tantôt de leurs jambes, et va rejoindre le corps de chacune des femmes. Elles sont littéralement cousues entre elles, comme si elles ne formaient qu'un seul et même corps. La femme de droite tient dans sa main une paire de ciseaux, et celle de gauche, un bout de fil qui lui sort du bras. La dernière, surélevée au centre, tient un vase qui déverse une eau cristalline et lumineuse dans l'immense bassin se trouvant au milieu de la pièce. Une impression de douleur mais aussi de grande puissance se dégage de l'ensemble. Des écritures sont inscrites tout autour du bassin.

— Ceci est la fontaine des Moires, déesses du destin. Du vase s'écoule la part de destin qui revient à chaque être humain. Il est écrit que Chronos garde les Moires prisonnières afin qu'elles n'influencent plus la vie des hommes. Légende ou réalité ? Nul ne peut le dire.

— Fascinant. Et sur les murs ? Que racontent ces écritures ?

— Ce sont de vieux mythes. Après avoir créé la pluralité des temps, Chronos aurait construit ce temple comme dernier refuge, se jurant de ne plus intervenir auprès des hommes.

— La pluralité des temps ? Que voulez-vous dire ?

— Il existe une multitude de versions du monde. Dans presque chacune d'elles, il existe une version de vous-même vivant sa propre vie et faisant ses propres choix. Mais aucun de ces doubles n'est semblable à vous, car ils ont tous vécu des vies différentes, fait des choix différents et subi les choix différents des autres aussi… comme votre père qui n'a jamais quitté votre mère, par exemple.

— Mais comment est-ce possible ? Comment peut-il y avoir plusieurs temps ?

— Je l'ignore. Certains mythes racontent cependant qu'à la création de l'univers, Chronos, dieu du temps, divisa le monde de manière à ce que les hommes puissent expérimenter différentes facettes de l'existence. Tout cela dans le but qu'un jour, peut-être, ils comprennent leur origine divine, cessent de s'entretuer les uns les autres et exploitent leur potentiel divin jusqu'à atteindre eux aussi le statut de divinités. Évidemment, tout cela n'est qu'une légende…

— Vous ne croyez pas à ces histoires de dieux ?

— Je crois qu'il existe une explication rationnelle pour chaque chose. Mais, voyons voir… Vous avez réussi à voyager dans le temps, à briser une cage en verre à grands coups de tonnerre et d'éclairs… Des caractéristiques qui ressemblent étrangement aux pouvoirs de Zeus, le roi des dieux de la mythologie grecque.

— Vous ne pensez quand même pas que je suis la réincarnation de Zeus ou quelque chose comme ça ? Parce que je vous rassure tout de suite, je…

— Ha ! ha ! ha ! Du calme, mon ami ! Je ne pense rien de tel. Cependant, si nous retournions à l'époque de la Grèce antique, un homme avec de telles capacités aurait vite été considéré comme une divinité.

— Je comprends. Vous pensez donc que ces dieux étaient en fait des hommes et des femmes ordinaires, mais possédant des dons extraordinaires.

— Je le crois, oui.

— D'accord. Et comment expliquez-vous l'existence de ce temple créé sur du vide ? Si ce ne sont pas des dieux qui l'ont construit, qui l'a fait alors ?

— Je l'ignore. Cette partie du puzzle demeure

un mystère. Néanmoins, j'ai passé énormément de temps ici et je n'ai jamais croisé la moindre présence divine…

— C'est insensé! Comment est-ce possible? Comment un homme peut-il passer d'un temps à l'autre et lancer des éclairs?

— La science n'a pas encore percé tous les mystères du cerveau. Cependant, plusieurs hypothèses ont été soulevées. Certains chercheurs parlent d'un syndrome de sensitivité électrique. Le cerveau humain n'émet généralement que des tensions électriques très faibles. Les personnes «souffrant» de ce syndrome dégageraient une énergie électrique plus grande que la normale. Ce qui provoquerait des maux de tête, surtout durant les orages, des nausées, des moments d'absence et certaines difficultés à utiliser des appareils électriques, car ceux-ci s'éteindraient ou s'allumeraient d'eux-mêmes. Ces personnes auraient également l'impression que le temps s'écoule parfois rapidement et parfois très lentement.

— C'est incroyable! C'est exactement ce que je ressens!

— D'autres chercheurs, qualifiés de farfelus et excentriques par leurs confrères, évoquent même l'idée d'un chromosome «chronos». Un chromosome qui pourrait expliquer comment certaines personnes peuvent voyager dans l'espace et d'un temps à l'autre au gré de leur volonté. Évidemment, ce ne sont que des hypothèses, rien n'a encore été prouvé. D'ailleurs, dans votre monde, les scientifiques qui ont émis de telles idées passent pour des fous…

— Est-ce que n'importe qui peut être atteint de ce syndrome ?

— Je l'ignore. Peut-être que tout le monde possède ces capacités, mais à des degrés différents, ou encore sans en être conscient. Cependant, une chose est récurrente, ces facultés extraordinaires émergent généralement en grande période de stress.

Période de stress…

L'image de Sophie sur le point de se faire enfoncer l'aiguille d'une seringue contenant un produit toxique par une version maléfique de moi-même me revient en mémoire. Voilà ce qui a fait émerger toute cette force en moi. Ma colère. Non. Plutôt mon désir de la protéger.

— Je dois sauver mes amis. M'aiderez-vous ?

— Vos amis ne sont pas les seuls en danger. Si votre double réussit à conquérir votre monde, croyez-vous qu'il s'arrêtera là ? Non. Il ouvrira une autre brèche temporelle vers un autre temps et une autre et encore une autre, jusqu'à ce que l'équilibre entre les mondes soit rompu. Ce sera alors le chaos… et la fin des temps.

— Il y a une chose que je ne comprends pas. Si vous savez tout cela… Je veux dire, je vous ai vu à l'œuvre avec Darka. Vous êtes puissant ! De plus, vous avez la faculté de voyager d'un Temps à l'autre… Je ne comprends pas. Pourquoi ne l'arrêtez-vous pas vous-même ?

Le visage du vieillard, tantôt illuminé par sa détermination, s'assombrit soudain comme si on venait de lui asséner un grand coup. Chancelant, il s'approche de la fontaine et s'assoit sur le bord du bassin.

— Je n'ai pas la force de faire ce qu'il faut…

Pour la première fois, je réalise que je ne connais rien de mon mystérieux allié.

— Bon sang, mais qui êtes-vous ?

L'homme, épuisé par toutes mes questions, réfléchit un moment avant de répondre.

— Mon nom n'a pas vraiment d'importance… Vous pouvez m'appeler Al. Je suis un homme qui a passé toute sa vie à voyager d'un temps à l'autre pour essayer de réparer les erreurs du passé. Mais rien ne semble empêcher ce qui semble inévitable… C'est pourquoi j'ai besoin de votre aide pour faire ce qui doit être fait. Si vous ne m'aidez pas, il n'y a plus d'espoir.

— Très bien. Et que faut-il faire alors ?

Le vieil Al devient alors très solennel.

— Vous devez le tuer.

— Comment ? Tuer quelqu'un ? Je ne suis pas un tueur ! Et d'ailleurs, j'exècre la violence. Il doit bien y avoir une autre solution…

— Croyez-vous que je demanderais une chose semblable si je n'avais pas envisagé d'autres possibilités ? Non, vraiment, c'est la seule solution… L'ultime solution.

— D'accord. Supposons que vous me dites la vérité, pourquoi moi ?

— Je vous ai observé pendant longtemps. Vous êtes un être noble et idéaliste. Vous serez allé jusqu'au bout du voyage, si mon plan vient à échouer…

— Il est évident que vous avez mal choisi. Je ne pourrai jamais mettre un terme à la vie de quelqu'un, fût-il le plus grand tyran de tous les temps !

— Ah non ? Même si l'avenir du monde en dépend ? Pensez à tous vos élèves, ces jeunes qui n'auront jamais la chance de réaliser leur vie comme ils le souhaitent. Toute l'espérance que vous aurez semée dans leur cœur de vivre un jour dans un monde meilleur n'aura servi à rien ! RIEN !

Un coup de fouet. Voilà ce que sa dernière phrase est pour moi. Un coup de fouet qui me donne l'énergie de prendre le contrôle de la situation. Et soudain, un plan se met à germer dans ma tête en même temps que le désir d'en finir une fois pour toutes avec cette histoire.

— Très bien, Al. J'accepte de vous aider… mais à ma manière. D'abord, vous allez m'enseigner comment maîtriser mes nouvelles capacités. Ensuite, je libérerai mes amis. Et après, on verra ce qu'on peut faire avec mon sinistre double…

15

Retour au bercail

L'entraînement dura assez longtemps. Enfin, c'était difficile à calculer dans la mesure où je me trouvais dans un lieu où le temps ne s'écoule pas. Al m'emmena dans une salle vide du temple pour faire mes exercices.

Le vieil homme s'avérait un très bon enseignant. Après quelques séances d'entraînement, j'étais maintenant capable de créer de petites quantités d'énergie électrique dorée et de les propulser sur de minuscules cibles improvisées, comme des cailloux situés à divers coins de la salle. J'arrivais également à lancer des éclairs à volonté. Je devais toutefois faire attention, car une trop grande utilisation de cette capacité pouvait me causer de terribles migraines et parfois me faire perdre connaissance.

Le déplacement temporel, comme l'appelait

mon mentor, était cependant beaucoup plus difficile.

— Pensez très fort à un lieu où vous désirez aller.

— Ça devrait être facile. Je veux retourner chez moi, manger, me doucher et me changer.

— Très bien. Maintenant, fermez les yeux et concentrez-vous. Lorsque le déplacement temporel s'amorcera, vous sentirez peu à peu vos pieds s'enfoncer dans le plancher. Je vous tiens par le bras, alors ne paniquez pas. Lâchez prise et laissez-vous aller…

Le premier essai ne fut pas une réussite. Aussitôt que j'eus la sensation de m'enfoncer, je paniquai et ouvris les yeux pour constater que mes pieds étaient presque figés dans le sol. Heureusement, Al me tira par le bras et me ramena vers lui.

Mais après de nombreuses tentatives, au cours desquelles je m'efforçai de garder les paupières fermées et où je me retrouvai chaque fois dans des endroits incongrus comme la salle de bain de ma voisine sexagénaire Gladys, occupée à faire sa toilette, Al conclut qu'il était préférable que je garde les yeux ouverts. Une sage décision, si vous voulez mon avis.

Finalement, une vingtaine d'essais plus tard, je me retrouve au beau milieu de ma salle de séjour.

— Ah ! enfin ! dis-je en me laissant tomber sur mon divan. Ce n'est pas trop tôt !

— Vos progrès sont remarquables. Cela m'a pris des années avant d'acquérir une telle maîtrise.

— Eh bien, moi, je n'ai pas des années devant moi. Aussitôt que j'aurai mangé, que je me serai douché et changé, je pars libérer Sophie et Patrice.

— Patience, mon jeune ami. Mais dites-moi, comment comptez-vous vous y prendre? Vous ne savez même pas où ils sont détenus. De toute manière, il est évident que votre alter ego prépare votre venue. Il vous tendra sûrement un piège…

— Peut-être, mais il n'a aucune idée du moment où je vais frapper. Enfin, je l'espère… Je vais me faire à manger! Voulez-vous quelque chose?

— Non, merci. À force de voyager à travers la pluralité des temps et de ne plus être soumis au champ gravitationnel terrestre, la faim et la fatigue n'ont désormais plus d'emprise sur moi. De plus, cela m'a procuré une force physique titanesque.

— C'est super, vous êtes devenu un être surhumain et immortel alors…

— Oh non! Je suis aussi mortel que vous. Une balle dans le cœur me conduirait droit au ciel, s'il existe, évidemment.

— Eh bien, ce n'est pas encore mon cas, j'ai encore besoin de me nourrir, dis-je en allumant le téléviseur.

L'appareil s'ouvre sur le canal des nouvelles. Incroyable! La date affichée à l'écran est le 12 octobre. Il est 18 heures. Mon Dieu, nous sommes revenus exactement au moment où je revenais de l'école, tout juste avant d'être téléporté vingt ans dans le futur. Malgré les jours écoulés depuis le début de cette aventure, seules quelques minutes sont passées, comme si tout ce que j'avais vécu depuis mon saut dans le futur ne s'était écoulé qu'en quelques secondes. Comment est-ce possible ? Je décide de changer de chaîne.

— Je vous laisse, dis-je à Al. Faites comme chez vous !

Je mets fin à la conversation et me dirige vers la cuisine. J'ouvre la porte de mon congélateur et sors l'un des multiples plats congelés indispensables à la survie d'un homme n'ayant aucun talent culinaire. Trois minutes au four à micro-ondes, voilà la seule recette que je connaisse !

Je mange ma lasagne à la vitesse de l'éclair. Avant de sauter dans la douche, je jette un coup d'œil au salon. Al, les yeux exorbités et la bouche ouverte, est hypnotisé et un brin déstabilisé par un Bob l'éponge criant à tue-tête aux côtés d'une étoile de mer géante. Je me demande si Bob l'éponge existe dans une autre version de notre monde. J'espère que non.

Je prends ma douche et me dirige vers ma chambre. J'ouvre la porte de ma garde-robe à la recherche de vêtements adaptés à la mission de sauvetage qui m'attend. Le choix est peu reluisant. Mes éternels vestons ne me seront d'aucune utilité. J'opte donc pour un jeans tendance, un chandail sport noir et un manteau de cuir noir style course automobile, avec des bordures bleues sur les épaules et les manches.

Quand je sors de la chambre, j'appelle Al pour lui dire que je suis prêt.

— Al ?

Aucune réponse.

Personne dans le salon. Je fais le tour de la maison. Rien. Al a disparu. Et je me retrouve encore une fois seul.

Je retourne au salon pour éteindre la télévision. C'est alors que je remarque que Bob l'éponge a cédé sa place à un bulletin spécial d'informations. Le dernier orage ayant frappé la ville a fait d'énormes dégâts matériels. La télé diffuse en rafale des images d'immeubles en flammes, frappés par de multiples éclairs. On interviewe des gens qui ont perdu leur foyer pendant que d'autres pleurent leurs proches décédés dans des accidents causés par la foudre.

Le chef d'antenne annonce alors une conférence de presse donnée sur-le-champ par notre ministre de l'Environnement. M. Turner y annonce la construction de diverses tours générant un champ de force capable de protéger la ville des dégâts causés par les orages de plus en plus violents. Le chef d'antenne termine en mentionnant que M. Turner est un véritable génie, voire un héros…

Visiblement, l'avènement de mon futur apocalyptique est plus près que je ne le croyais.

Il n'y a plus aucun doute possible. Je dois agir. Maintenant.

16

UNE VISITE-SURPRISE

Mon plan est simple et divisé en trois parties. La première est de découvrir l'endroit où sont détenus Sophie et Patrice, et la deuxième de les libérer. La troisième partie, je la découvrirai plus tard...

Tout d'abord, je dois trouver quelqu'un pour me renseigner. Je décide de jeter mon dévolu sur nul autre que le premier ministre, M. Turner lui-même. Si quelqu'un est au courant des agissements de mon sinistre double, cela doit bien être lui !

Me téléporter devant le bâtiment gouvernemental est un jeu d'enfant, même si le passage d'un temps à l'autre est assez déstabilisant.

Le décor n'a malheureusement pas changé. Des quatre coins de la ville, on peut voir les gigantesques tours qui projettent le champ de force et qui donne au ciel une teinte rouge sang. La nature est aussi morte et les bâtiments toujours aussi sales et délabrés que dans mon souvenir.

Caché derrière un abribus, j'observe l'immeuble. La sécurité a été renforcée. Une vingtaine de gardes sont postés tout autour de l'édifice. Visiblement, ma dernière visite a ébranlé la confiance de mon alter ego pour qu'il rehausse à ce point la sécurité.

Heureusement, je n'ai plus à user de ruse pour pénétrer à l'intérieur. Juste à me concentrer sur l'endroit où je désire aller et... clap! M'y voilà!

C'est ainsi que je me matérialise à l'intérieur du bâtiment, dans les toilettes réservées aux employés qui sont situées au rez-de-chaussée. Le problème est que je ne m'y trouve pas seul. Un jeune homme vêtu d'un pantalon gris et d'une chemise blanche, probablement un employé de bureau, sort d'un cabinet lorsque j'apparais survolté d'éclairs. Au moment où je sens le sol sous mes pieds, je projette une décharge sur l'homme qui le fait s'écrouler par terre. Je m'approche de lui et m'accroupis pour tâter son pouls. Il n'est pas mort, juste un peu... secoué.

Je le relève et le dispose sur un siège de toilette. Je referme ensuite la porte du cabinet derrière moi. Un jeu d'enfant.

Lorsque j'entrebâille la porte des toilettes, je suis surpris par la foule déambulant dans les corridors: des hommes et des femmes presque tous vêtus d'un pantalon gris et d'une chemise blanche ou d'un tailleur. Les gens marchent d'un pas rapide, comme si quelque chose d'important était sur le point de se produire. De véritables fourmis au travail… Qui disait que les fonctionnaires dormaient pendant leurs heures de service ?

Soudain, un détail me frappe. Devant chaque local est posté un agent de sécurité. Je referme la porte et retourne voir mon ami endormi. Un badge disposé sur la poche de sa chemise m'informe qu'il se nomme David Gilbert. Il doit faire, voyons… 5 pieds 10 pouces, 160 livres… Oui, je crois que ça pourrait fonctionner…

«Eh bien, David Gilbert, j'espère que tu as pris ta douche ce matin, car je vais devoir t'emprunter tes vêtements…»

Un son strident rappelant la cloche de mon école secondaire retentit au-dessus de ma tête et une voix monocorde résonne dans les toilettes et dans le corridor adjacent.

«Attention. Tous les membres du personnel sont priés de se rendre immédiatement à la salle D-208 afin de se présenter à leur superviseur immédiat. Je répète. Tous les membres du personnel sont priés de se rendre immédiatement à la salle D-208 afin de se présenter à leur superviseur immédiat. Ceci n'est pas un exercice. Je répète. Ceci n'est pas un exercice.»

On s'active dans le couloir. Des gens parlent fort, se questionnent sur ce qui se passe. Il y a même une rumeur d'alerte à la bombe…

Je me jette sur l'employé endormi et commence

à lui retirer ses vêtements. Il n'y a pas une seconde à perdre.

* * *

Je sors des toilettes avec un air décontracté. Le corridor est désert. Tous les employés doivent être au lieu de rendez-vous. Vite! Je dois absolument trouver le bureau du premier ministre.

Je reste planté au milieu du couloir afin de déterminer quelle direction prendre, quand on me tape sur l'épaule. Je me retourne pour constater qu'un agent de sécurité, armé, me dévisage.

— Que faites-vous ici, monsieur?

— Oh, je suis navré! dis-je en replaçant nerveusement une mèche rebelle. J'étais aux toilettes et je crains de ne pas avoir entendu convenablement le message à l'interphone. Vous savez, avec le bruit du sèche-mains…

Heureusement, avec la tenue empruntée à mon nouvel ami, son badge, et mes cheveux fraîchement plaqués en arrière, j'ai vraiment l'air d'un petit employé modèle. L'illusion est parfaite.

— Oui, oui…, fait le garde visiblement agacé. Vous devez vous présenter à votre supérieur à la salle D-208. Tout de suite.

— Vraiment? Mais que se passe-t-il donc?

— Je ne suis pas sûr, mais je crois qu'un intrus s'est glissé à l'intérieur de l'immeuble. Nous rassemblons tous les employés au même endroit pour faire une fouille complète du bâtiment.

Mon cœur se fige dans ma poitrine. Comment ont-ils su que j'étais à l'intérieur de l'immeuble ? Je n'ai vu aucune caméra de sécurité dans les toilettes.

— Vraiment ? Un intrus ? Comme c'est fâcheux… Je ne vous dérangerai pas plus long-temps alors ! Continuez votre bon travail. Oui, votre excellent travail ! Au revoir !

D'un pas rapide, je me rends jusqu'au bout du corridor. J'ai maintenant le choix d'aller à gauche ou à droite. Une affiche sur le mur indique que pour me rendre à la zone D de l'immeuble, je dois prendre à droite. Je me retourne : oui, l'agent de sécurité m'observe. Je n'ai donc pas le choix, je dois prendre à droite si je ne veux pas attirer davantage l'attention sur moi.

En marchant, je remarque que malgré les modifications apportées à l'école afin de la trans-former en édifice gouvernemental, les locaux portent toujours les mêmes numéros.

Voyons voir, quelle était l'usage du local D-208 ? La zone D était la zone sportive de l'école. Il devait donc s'agir d'un des gymnases.

Je n'ai pas à me poser des questions bien long-temps, car après avoir tourné un coin, je tombe juste devant la porte du local. Ainsi que plusieurs agents de sécurité. En baissant la tête, je pénètre à l'intérieur.

Il s'agit effectivement d'un ancien gymnase, maintenant converti en auditorium. Tous les employés sont vautrés dans des sièges en cuir et la lumière tamisée donne l'impression qu'ils se relaxent avant le début d'une pièce de théâtre. À l'avant, sur une scène surélevée faisant face à la foule, trône… M. Turner! Celui-ci discute avec un homme vêtu d'un complet noir, visiblement très nerveux. D'un geste sec, le premier ministre met fin à la conversation et demande qu'il aille s'asseoir, comme les autres.

Puis, le premier ministre exige le silence de tous. Je me dépêche d'aller m'asseoir sur un siège vide de la dernière rangée.

«*Ladies and gentlemen*, merci de vous être déplacés si rapidement. Vous devez sûrement tous vous demander la raison d'une mesure aussi exceptionnelle. *Well*, il semble qu'un intrus se soit infiltré dans nos murs.

Un homme se lève et demande s'il est vrai qu'il y a eu une alerte à la bombe.

La foule réagit fortement à cette question. Des hommes se révoltent, des femmes se scandalisent…

«*Don't be afraid*[1]! s'exclame le politicien. Tous nos agents fouillent présentement l'immeuble et je suis sûr que vous pourrez regagner vos…»

Il est interrompu. On entend des cris et des coups de feu retentir dans le corridor. Tous se retournent et fixent la porte. Celle-ci s'ouvre et un homme est propulsé à l'intérieur jusque sur la scène de l'auditorium. Cela se passe très rapidement, mais j'ai tout de même le temps de voir

---

1. «N'ayez pas peur!» (anglais).

qui a exécuté ce fantastique vol plané : Al, le vieil homme à la robe blanche.

Un bruit d'explosion se fait entendre et les lumières s'éteignent. La panique déferle dans la salle et plusieurs personnes se mettent à hurler. Sur la scène, M. Turner s'époumone à exiger de ses employés qu'ils demeurent assis sur leur siège, mais il est déjà trop tard. Bravant les agents de sécurité armés, les gens se poussent, se battent pour atteindre la sortie de secours la plus près.

Instinctivement, je comprends alors que c'est à moi de jouer.

17

Un entretien privé

Le premier ministre semble découragé devant le spectacle de ses employés se battant pour sortir de l'auditorium. Même les agents de sécurité se mettent maintenant de la partie.

Avec hâte, M. Turner descend de la scène par des marches situées sur le côté droit et disparaît derrière une porte de métal. Sans plus attendre, je me lance à sa poursuite. Une fois la porte franchie, je me retrouve dans un corridor faiblement éclairé par des veilleuses de sécurité. Au bout du couloir, je peux voir une porte d'ascenseur et le premier ministre qui court presque pour l'atteindre.

Sans réfléchir, je crie la première chose qui me traverse l'esprit.

«Monsieur le premier ministre! Attendez!

Mon nom est David Gilbert, j'aimerais avoir un entretien privé avec vous ! »

M. Turner, surpris de voir quelqu'un le suivre, accélère le pas.

— Ce n'est pas le moment, me crie-t-il avec son fort accent anglais. Prenez rendez-vous avec ma secrétaire !

Aussi vite que l'éclair, je me téléporte entre lui et l'ascenseur. J'apparais dans un coup de tonnerre devant M. Turner qui me heurte et s'écroule par terre.

Je m'ébouriffe les cheveux pour qu'il puisse reconnaître l'homme qui le dévisage.

— Vous !

— Je n'ai pas le temps d'attendre après votre secrétaire. Où sont mes amis, monsieur Turner ?

— Je… Je ne peux pas vous le dire, sinon *you will kill me*[1] !

— Vous n'êtes qu'un lâche ! Comment avez-vous pu livrer votre pays à un monstre ?

— C'est facile à dire ! J'ignorais ce qu'il allait faire, dit-il sur la défensive. Tout ce que je voulais, c'était le pouvoir. Et avec les changements climatiques et ces orages qui dévastaient le pays, la population exigeait un plan d'action. *I didn't know what to do*[2] ! Il est apparu un bon matin avec cette idée de champ de force, ce ciel protecteur. Si j'avais su…

— Si vous aviez su ? Les écologistes sonnaient

---

1. «Vous me tuerez ! » (anglais).
2. «Je ne savais pas quoi faire ! » (anglais).

146

l'alerte depuis une dizaine d'années ! Si vous aviez moins pensé à votre profit personnel et davantage au bien-être de la population, rien de tout cela ne se serait produit !

M. Turner, autrefois fier comme un paon, me regarde avec l'expression d'un enfant qu'on vient de prendre la main dans la boîte de biscuits. Il a l'air épuisé et dépassé par les événements.

— *Maybe*. Mais il est trop tard de toute façon…

— Il n'est jamais trop tard ! Levez-vous et faites un homme de vous, bon sang !

Au même moment, la lumière revient dans le bâtiment et les tubes fluorescents d'urgence s'éteignent. Troublé, le ministre se relève et se tourne vers moi, une lueur d'espoir dans les yeux. Une idée vient visiblement de lui traverser l'esprit.

— *You're right*, il y a peut-être un moyen. Mais cela est risqué. Je ne peux plus faire confiance à personne. Votre double a remplacé tous mes agents de sécurité par des personnes venant de je ne sais où ! Il les fait venir par l'ascenseur reliant notre monde et le leur. J'ignore comment cela fonctionne, mais je sais une chose, c'est que l'ascenseur est alimenté par le champ de force généré par les multiples tours éparpillées dans la ville. Quand il y a un orage, les éclairs frappent le champ de force, qui, lui, redistribue l'énergie électrique à l'ascenseur. Si on parvient à couper le champ de force en faisant exploser l'une des tours, l'ascenseur ne sera plus alimenté et l'invasion sera par le fait même stoppée.

— C'est une excellente idée. Mais si on cesse l'alimentation du champ de force, la ville ne sera plus protégée…

— *This is not a problem*[1]… les changements climatiques ont cessé et, du même coup, les orages aussi.

— Comment? Vous voulez dire que vous avez réussi à cacher ça à la population? Depuis quand?

— Depuis la mise en place des nouvelles normes en matière d'émission de gaz à effet de serre. La planète est maintenant stable, nous ne courons plus aucun danger.

— Vous me dégoûtez. Comment arrivez-vous à dormir la nuit?

Il baisse alors les yeux d'un air penaud.

— Je ne suis pas fier de ce que j'ai fait. Je suis prêt à répondre de mes actes, s'il le faut.

M. Turner semble sincère. Il se peut aussi que ça ne soit que la manifestation de son talent de politicien. Mais quelque chose au fond de moi me dit que non. Vous ai-je dit que je suis un idéaliste?

— Il est fort probable que vous ayez à répondre de vos actes et si la justice ne s'en charge pas, la vie, elle, s'en chargera…Mais avant, vous allez me conduire à mes amis.

* * *

1.«Ce n'est pas un problème…» (anglais).

Nous prenons l'ascenseur et descendons dans les sous-sols de l'édifice. C'est à cet endroit que se trouvent les cellules de détention où sont enfermés Sophie et Patrice.

— J'ignorais que les édifices gouvernementaux possédaient des cellules de détention, dis-je.

— C'est votre autre vous qui les a fait installer. Il s'en sert pour y mettre les hommes un peu trop curieux dans votre genre…

M. Turner, mon nouvel allié repentant, me suggère de reprendre mon apparence d'employé modèle, car nous risquons d'avoir des problèmes avec la sécurité. Lorsque les portes s'ouvrent, nous découvrons une petite salle blanche fortement éclairée. En face de nous se trouve un gardien caché derrière une sorte de vitre de protection. Des micros et des haut-parleurs sont incrustés dans celle-ci afin de pouvoir nous entretenir avec lui. Il ne semble pas trop futé. Néanmoins, il est plutôt content de nous voir.

— Que se passe-t-il, bon sang? J'entends des explosions depuis tout à l'heure et une panne d'électricité est survenue! Pas moyen de communiquer avec personne, toutes les lignes sont coupées! De plus, je suis tout seul! Tous les autres gardes ont reçu l'ordre de fouiller l'immeuble!

M. Turner et moi nous jetons un regard plein de sous-entendus.

— *Yes*, dit le ministre. Je suis ici justement pour vous informer que l'immeuble doit être évacué sur-le-champ. Vous devez nous aider, mon adjoint et moi, à transporter les prisonniers dans un autre bâtiment.

Le gardien de sécurité écarquille les yeux.

— Tous les prisonniers ? Vous n'y pensez pas ?

Je me demande alors combien de personnes mon double maléfique peut bien avoir enfermées. Je m'adresse à l'agent :

— Je ne comprends pas. Combien de prisonniers avez-vous donc ?

— Nous en avons trois. Il y a la fille, l'autre là, le petit...

Je sais alors que le gardien fait allusion à Sophie et Patrice, car ce dernier n'est pas très grand.

— D'accord. Ils ne sont pas très nombreux. Où est le problème ?

— Le troisième prisonnier. Il est redoutable. Nous l'avons enfermé dans une cellule complètement isolée à cause de tous ces éclairs qu'il arrive à lancer ! Il vous ressemble un peu d'ailleurs...

Me ressemble ? Oh ! mon Dieu, il doit parler de mon moi futur, celui qui a été torturé et ligoté sur la chaise. Avec tous les événements qui se sont bousculés, j'avais complètement oublié son existence.

— Vite, m'écrié-je. Conduisez-nous à lui !

— Eh bien, je ne sais pas si j'en ai le droit. Je dois d'abord vérifier avec mon supérieur et...

— *That's enough !* lance M. Turner. Je suis le premier ministre et je vous ordonne de nous conduire à ce prisonnier immédiatement, sinon je vous ferai retirer de vos fonctions.

L'homme regarde M. Turner. Son visage traduit bien l'angoisse que doit représenter pour lui la perte de son emploi.

On entend alors un son mécanique et la porte menant aux cellules de détention s'ouvre. Nous pénétrons rapidement de peur que le gardien change soudain d'avis. Le ministre s'arrête devant lui et pose sa main sur son épaule.

— Vous avez fait le bon choix. Vous ne le regretterez pas, *my friend*.

— Merci, monsieur.

— Vite, dans quelle cellule se trouve mon dou… je veux dire l'homme qui lance des éclairs ?

— C'est la dernière cellule, au fond, répond l'agent. Suivez-moi !

Nous ne mettons pas trop de temps à arriver à l'endroit en question, car le bâtiment ne possède qu'une vingtaine de cellules. Sur la porte se trouve un clavier numérique.

— Reculez, je vais faire le code.

Aussitôt les chiffres entrés, la porte s'ouvre. Aucun bruit ne provient de la cellule. Le gardien penche la tête pour voir l'état du prisonnier. Ne le voyant pas, il pénètre à l'intérieur. Erreur fatale. Des gerbes d'éclairs l'atteignent aussitôt et le propulsent sur la porte de la cellule d'en face qui, sous la force de l'impact, s'entrouvre juste assez pour permettre à Sophie de s'échapper.

— Monsieur Alexis ! crie-t-elle. Je savais que

vous viendriez nous sauver ! Venez ! Patrice est dans la cellule adjacente à la mienne.

— Oui, mais maintenant que le gardien est sonné, il n'y a aucun moyen d'ouvrir la porte.

Mon double, qui se tenait jusque-là à l'écart, intervient.

— Nous n'avons pas besoin du code. Patrice, tu m'entends ?

Derrière la porte de métal, la voix de mon ami se fait entendre.

— Oui ! Faites-moi sortir d'ici, nom de Dieu !

— Aucun problème ! Écarte-toi de la porte, je vais la faire sortir de ses gonds.

L'air devient soudain plus lourd, comme lorsqu'un orage s'apprête à éclater. Les luminaires au-dessus de nos têtes clignotent. Des gerbes de lumière se mettent à parcourir le corps de mon alter ego et à sortir de ses yeux. D'un geste vif, il projette ses mains vers l'avant et lance de multiples éclairs. La porte ne résiste pas longtemps et va s'écraser dans un bruit fracassant sur le mur au fond de la cellule.

Après un bref instant, Patrice s'avance vers nous en s'écriant d'un air victorieux : « Enfin libre ! » Il se retourne et serre mon double dans ses bras, visiblement content de le revoir.

— C'est incroyable, monsieur Alexis ! Si ce n'était de son visage tuméfié, il vous ressemblerait tout à fait ! s'étonne Sophie.

Mon autre moi se tourne alors et me tend la main que je serre avec enthousiasme.

— Je savais que tu viendrais nous libérer, me dit-il. Si j'avais pu, je me serais téléporté ailleurs, mais il semble que la cellule ait été spécialement conçue pour empêcher les gens ayant nos capacités de se téléporter et de voyager d'un temps à l'autre.

— Comment ?

— Je l'ignore. Peut-être que grâce aux expériences qu'il m'a fait subir, Alexis Ier a réussi à isoler le chromosome Chronos et à trouver un moyen de contrer son utilisation. Mais j'en doute. C'est fort probable que…

Un raclement de gorge l'interrompt. M. Turner, jusque-là en retrait, s'immisce dans la conversation.

— Je suis navré de vous interrompre, *sir*. Mais nous devrions sortir d'ici avant que quelqu'un se rende compte de quelque chose.

C'est en effet une excellente idée. Nous prenons donc le chemin du rez-de-chaussée.

18

Au revoir !

En remontant vers la surface, j'explique à mon double la troisième et dernière partie de mon plan. Celle-ci m'a été donnée par Turner lui-même ! J'ai l'intention de survoler l'un des émetteurs du champ de force situé au sommet d'une des tours de la ville afin de couper l'alimentation en énergie de l'ascenseur et, ainsi, de stopper l'invasion.

Lorsque nous arrivons au rez-de-chaussée, nous nous rendons compte que le bâtiment est complètement déserté. Il n'y a pas âme qui vive. Nous n'avons donc aucune difficulté à sortir par la porte principale. Ce n'est pas normal… Où est Al ?

Arrivé dans la rue, je repère la tour la plus près et me tourne vers le petit groupe.

— C'est ici que nos chemins se séparent,

dis-je. Lorsque tout sera terminé, je retournerai chez moi, à mon époque.

Je prends Sophie puis Patrice dans mes bras et les remercie pour tout. Je serre la main de M. Turner et lui rappelle la promesse qu'il a faite de répondre de ses actes.

— Ne vous en faites pas avec ça, me dit Sophie. Je vais le suivre à la trace, mais je ne sais pas comment on va réussir à convaincre les autres membres du gouvernement que c'est un envahisseur venu d'un autre temps qui est à l'origine de ce ciel artificiel…

— Vous n'avez qu'à omettre ce léger détail…

Tous se mettent à rire. Finalement, je m'avance vers mon double en lui tendant la main.

— Oh non, me dit-il. Ce n'est pas terminé pour nous deux. Je t'accompagne ! Il est évident que notre venue est attendue… Allez, on y va ! Marchons vers la tour et nous nous téléporterons au sommet dès que possible.

Arrivé à mi-chemin, je me tourne vers mon double.

— Il y a quelque chose que j'aimerais comprendre…

— Tu aimerais savoir si je suis vraiment celui que tu deviendras plus tard ?

— Oui, c'est ça.

— Eh bien, non. Repense un instant à ta lecture du vieux manuscrit. Lorsque j'étais plus jeune, je ne suis pas arrivé dans ce futur par mes propres moyens comme tu l'as fait. J'ai pris l'ascenseur, comme c'était convenu avec Sophie.

— Cela veut donc dire que tu n'es pas moi ? Ceci n'est pas mon futur ?

— Exactement. Néanmoins, moi aussi j'ai la capacité de voyager d'un temps à l'autre et j'ai appris quelque chose au cours de mes voyages, c'est que le futur n'est pas écrit à l'avance. Lorsqu'une personne prend une décision qui influence son destin, elle influence également le destin d'une multitude de personnes. Et à ce moment-là, un nouveau temps, une nouvelle version du monde est créée…

— Je comprends. Cela veut donc dire que quelqu'un a pris une décision qui est venue modifier notre destin à tous les deux. Je me demande bien qui… Mais oui ! Al ! L'homme à la robe blanche ! Au temple de Chronos, Al m'a dit qu'il voulait réparer des erreurs du passé ou quelque chose comme ça…

Alexis, plus âgé, me regarde, perplexe.

— Le temple de Chronos ? Tu veux bien parler de la toile que j'ai offerte à Patrice ? Ceux qui m'ont fait prisonnier m'ont posé des tonnes de questions concernant ce lieu. Ils voulaient savoir comment s'y rendre et ce qu'il contenait. Visiblement, il les intéresse énormément. Comme ça, ce lieu existe réellement ? Je croyais que ce n'était qu'un rêve, alors je ne leur ai pas été d'une grande utilité. En tout cas, ils ne doivent surtout pas savoir que tu connais le chemin pour t'y rendre ! Ça alors… De mon côté, je n'ai jamais rencontré d'homme prénommé Al et encore moins portant une robe blanche. Mais une chose est certaine, nous sommes arrivés à destination ! Es-tu prêt ?

— Si je suis prêt ? Plus que jamais !

***

Nous sommes seuls au milieu de la rue. À part le vent soufflant dans les branches des arbres desséchés, le silence règne sur la ville. Nous avons tous les deux le regard tourné vers le ciel, vers notre destin.

Nous nous prenons la main et laissons l'énergie électrique traverser notre corps et nous transporter plus vite que l'éclair au sommet de la tour. Pour la première fois depuis le début de cette aventure, je me grise de cette énergie parcourant tout mon être et m'y abandonne complètement, laissant toutes mes angoisses derrière moi.

À notre arrivée, nous constatons que nous sommes effectivement attendus.

Le sommet est de forme circulaire et en son centre se trouve l'émetteur, haut de près de vingt mètres, qui diffuse le champ de force. Tout autour, une vingtaine de gardes armés agenouillés braquent leur fusil sur nous. Derrière eux se tiennent Darka, la bande de jeunes gothiques et notre version mégalomane.

— Tiens, tiens, tiens ! Voici donc nos deux

anges descendus du ciel pour sauver le monde !
Comme c'est charmant ! Ha ! ha ! ha ! s'esclaffe-
t-il. Malheureusement, c'est ici que s'achève votre
histoire ! Messieurs, à vous de jouer !

Les hommes lèvent leurs armes et ouvrent le
feu. Nous nous couchons au sol pour éviter les
balles… qui ne viennent jamais. Je relève la tête
et remarque que les gardes n'ont plus aucun fusil
à la main.

Entre eux et nous se tient le vieil Al. Près de lui,
la vingtaine d'armes à feu empilées pêle-mêle.

— Eh bien, dit-il, c'était moins une ! C'est ce
que j'appelle être plus vite que son ombre.

Darka hurle de rage en voyant la mine surprise
des hommes de main.

— Espèces d'imbéciles ! Allez, dit-elle à sa
bande, occupez-vous d'eux !

Pendant que les gardes se relèvent et encerclent
Al, les jeunes gothiques, couteaux à la main,
foncent sur nous. Grâce à nos capacités extraordinaires, il ne nous est pas difficile de projeter
la majeure partie de nos adversaires hors de la
tour. Voyant leurs camarades faire des vols planés
et s'écraser des mètres plus bas, les moins témé-
raires prennent leurs jambes à leur cou. En moins
de cinq minutes, il ne reste plus que notre double
maléfique et Darka.

— C'est fini ! Vous avez perdu ! Rendez-vous
maintenant ! m'écrié-je.

— Oh non, dit Darka en ramassant une arme
sur le sol. Ce n'est pas terminé !

Son corps est soudainement survolté d'éclairs et en un coup de tonnerre, elle se volatilise.

— Oh, mon Dieu ! Elle a aussi le chromosome Chronos. Je comprends maintenant pourquoi elle était capable de me soulever à la seule force de son bras.

Soudain, Darka réapparaît derrière mon double, tire et l'atteint en plein cœur. Ensuite, elle disparaît à nouveau et réapparaît près de l'émetteur en jetant un regard victorieux à son patron.

Nooooooon !

Je me précipite au secours de mon double. Mais il est trop tard. La balle a traversé le cœur et, par conséquent, a causé inévitablement la mort.

Je relève la tête et jette un regard noir à Darka. Elle marche vers moi en me toisant avec mépris.

— Voilà, monsieur le professeur de français ! Nous arrivons maintenant à la fin du roman. Et comme je vous le disais, vous ne pouvez plus échapper à votre destin !

Elle pointe son arme dans ma direction et tire.

Le temps se met à ralentir. Je laisse l'énergie électrique me parcourir et je me téléporte à côté de mon double maléfique. Je lui agrippe le bras et me téléporte à nouveau à l'endroit où je me trouvais lorsque Darka a ouvert le feu. Tout cela avant que la balle ne m'atteigne.

Lorsque je réapparais, la balle vient se planter dans le cœur de celui qui a causé tout ce mal.

Réalisant ce qui se passe, Darka lâche son arme

et s'élance au secours de l'homme qui s'écroule au sol.

— Papa !

Papa ?

— Papa, je suis désolée. Je ne comprends plus, ce n'est pas ce qui devait se passer !

Mais Alexis Ier ne répond pas. Il ne répondra plus jamais. Darka éclate en sanglots tout en continuant de lui parler.

— Papa ! Papa ! Reste avec moi ! Je…

Un bruit sourd se fait alors entendre près de nous. Al vient de tomber sur le sol. Du sang coule de sa poitrine, contrastant avec le blanc immaculé de sa robe.

— Al ! m'écrié-je en me lançant au secours du vieil homme.

Je m'agenouille et le redresse. Darka me rejoint et prend les mains du vieillard dans les siennes.

— Papa ?

Tout s'éclaire à présent. Je suis frappé par l'horreur de la situation. Al et Alexis Ier sont une seule et même personne. En causant la mort d'Alexis Ier, je viens de signer la perte d'Al.

Mon Dieu. Qu'ai-je donc fait ?

Al ouvre lentement les yeux et regarde Darka, sa fille.

— Darka, dit-il. Je suis navré. Ce n'est pas comme ça que je voulais que l'histoire se termine pour toi. Pardonne-moi, ma fille. Je n'ai pas été un bon modèle, un bon père, mais il n'est pas trop tard pour refaire ta vie et réparer tout le mal que nous avons fait. J'espère que tu me pardonneras…

J'ignore si Darka comprend les mots de son père tellement elle pleure.

— Al, dis-je avec des sanglots dans la voix. Je suis désolé, je ne savais pas, je…

— Alexis, dit-il faiblement. N'aie pas de regret. Tu as fait exactement ce qui était prévu, tu nous as débarrassés de l'être diabolique que j'ai été. Maintenant, il ne me reste qu'une dernière chose à te demander avant que je ne quitte enfin ce monde.

— Oui, Al. Tout ce que vous voulez !

— Le temple. Némésis. Il faut les empêcher de la réveiller, tu m'entends ?

— Qui sont-ils, Al ?

— J'ai confiance en toi. Surtout, il ne faut pas que tu… que tu…

Je ne saurai jamais la fin de sa phrase. Ses yeux se sont révulsés et il a rendu l'âme.

19

C'EST FINI, DARKA. TOUT EST FINI.

Darka prend conscience que son père est mort, deux fois. Elle se relève. L'air devient lourd et les faibles diffuseurs de lumière qui se trouvent au sommet de la tour se mettent à clignoter.

Oh non! Je sais ce qui va suivre…

La peau de Darka devient iridescente et soudain, la jeune fille fait éclater toute sa rage, toute sa colère, toute son impuissance.

Un coup de tonnerre retentit et des éclairs jaillissent de son corps. Ils viennent frapper tout ce qui se trouve sur leur passage, incluant l'émetteur qui explose et provoque littéralement une pluie de morceaux de métal.

Je recule pour me protéger de Darka et des débris de métal. Je sens la tour chanceler. Une secousse me projette au bord du vide. Il s'en est fallu de peu que je ne m'écrase en bas. Je m'éloigne du bord et me couche sur le ventre.

C'est alors qu'une autre explosion secoue la tour. Je remarque que le champ de force au-dessus de nos têtes est en train de s'estomper. Nous avons réussi ! L'invasion est stoppée !

En bas, les rues fourmillent de monde. Des quatre coins de la ville, les gens sortent de chez eux pour connaître la raison de tout ce vacarme. La circulation est complètement bloquée car partout on sort des véhicules pour regarder les étoiles et la lune reprendre possession du ciel. Adieu la lumière artificielle !

Malgré les explosions et le son des éclairs percutant la tour, je peux entendre les exclamations et les cris de joie des gens qui vont enfin retrouver une vie normale.

Je me relève et vois Darka qui laisse libre cours à toute sa rage. Je suis soudain pris de pitié pour cette jeune fille maintenant orpheline de père, tout comme moi… Elle a eu un mauvais modèle, a été mal guidée et, finalement, a fait de mauvais choix. Puis-je vraiment la blâmer ?

En évitant les morceaux de métal qui volent dans tous les sens, je m'approche d'elle et lui tends la main.

Perplexe, elle me regarde avec de grands yeux.

— C'est fini, Darka. Tout est fini.

Les éclairs cessent. Les bouts de métal projetés dans les airs retombent sur le sol dans un grand fracas.

— Oui, dit-elle. Tout est fini.

Elle marche à reculons jusqu'au bord de la tour.

— Oui, répète-t-elle, tout est fini…

Et elle se laisse tomber dans le vide.

— Nooon !

Sans réfléchir, je m'élance à sa suite. Les gens rassemblés au bas de la tour poussent des cris de surprise et d'effroi. Si je ne réagis pas rapidement, nous allons nous écraser sur eux.

Il n'y a qu'une seule chose à faire. Le sol se rapproche de plus en plus, je dois atteindre le corps de Darka. Faisant appel à toute ma capacité de concentration, je me téléporte à moins d'un mètre d'elle. J'étire mon bras et saisis son poignet. Alors que nous allons nous écraser sur la foule, je ferme les yeux et prie les dieux, s'ils existent, pour que nous soyons transportés loin de toute cette folie, loin de toute cette violence…

* * *

Nous atterrissons dans un grand bassin d'eau. Lorsque je refais surface, quelque peu amoché par mon plongeon mais heureux d'être encore en vie, je prends conscience que nous sommes au beau milieu de la fontaine des Moires, dans la grande salle du temple de Chronos.

Darka s'est déjà extirpée du bassin et regarde les inscriptions sur les murs de la grande salle avec fascination.

Je sors du bassin à mon tour et n'ose jeter un regard vers les hideuses statues des trois femmes traversées de fils. Aussitôt, la jeune fille se retourne et me lance des éclairs qui n'ont pour effet que de me faire retomber à l'eau.

— C'est comme ça que tu remercies la personne qui t'a sauvé la vie ?

Mais Darka ne voit pas les choses de cette façon. Elle sort en courant de la grande salle par une porte que je n'ai jamais empruntée.

Je m'extirpe à nouveau de l'eau et me lance à sa poursuite. Je la retrouve dans une chambre du temple. Celle-ci est complètement vide et, sculptée sur le mur du fond, une tête de femme à l'air farouche nous dévisage. Aucune porte en vue, c'est un cul-de-sac ! Darka ne peut plus fuir.

La jeune femme pivote sur elle-même et me fait face.

— Tout ça est de votre faute, me lance-t-elle. Vous et votre fichu roman !

Soudain, je suis ébloui par la clarté de la situation.

— Mais Darka, tu ne comprends donc pas ? Si ton père n'avait pas eu l'intention de conquérir mon monde, jamais ce roman n'aurait vu le jour. Il cherchait à détruire l'auteur du roman, alors qu'il en était le principal initiateur… Ironique, n'est-ce pas ?

— Je n'ai que faire de la vérité maintenant que j'ai tout perdu ! Mais je me vengerai, vous m'entendez ? JE ME VENGERAI !

Elle s'élance vers moi, m'agrippe par le collet de mon manteau et m'envoie valser sur la tête de pierre. La sculpture vole en éclats et le mur s'écroule sous la force de l'impact. Je perds presque connaissance, mais je lutte pour rester éveillé.

Une voix étrangère retentit alors près de moi. Une voix d'enfant à la tonalité très douce et cristalline qui éveille malgré moi une impression de danger imminent. Mon Dieu, la scène me rappelle étrangement mon cauchemar…

« Darka, Darkaaaa… »

Je relève la tête et remarque que l'écroulement du mur vient de dévoiler·une nouvelle chambre du temple. La salle est de forme circulaire. Bien disposé au centre de la pièce, un puits de lumière diffuse une lueur spectrale sur un autel sculpté en pierre sur lequel repose une petite fille endormie. Elle porte une robe blanche et est auréolée de jolies boucles blondes. Face à l'autel, montée sur un socle, une statue de pierre représentant une femme casquée et vêtue d'une armure veille et observe l'enfant de ses yeux mi-clos. La guerrière pointe une lance faite d'un métal brillant et doré en direction de la fillette, comme si cette dernière représentait une menace quelconque.

« Darka, approche… », appelle de nouveau la voix.

Se peut-il que la voix provienne du corps de cette petite fille ?

— Qui est là ? demande Darka.

— Darka… Je te connais… Je ressens la rage qui t'habite… Approche…

Avant qu'elle ait pu faire un pas, je lui lance :

— Darka ! Non ! N'approche pas ! Il y a quelque chose de malsain ici, n'approche pas !

Mais, faisant fi de mes recommandations, Darka approche lentement du corps de la fillette et se penche au-dessus d'elle pour mieux l'admirer.

— Comme elle est belle, dit la jeune gothique. Elle semble si calme, si paisible. Comme je l'envie…

C'est alors que l'enfant endormie ouvre les yeux et jette un regard mauvais à l'adolescente qui l'examine. Elle lui saisit le bras et ouvre la bouche. Un son rauque sort du petit corps frêle. Darka hurle de peur et tente de se dégager, mais elle n'y parvient pas. L'enfant se tait et une fumée noire sort de sa bouche. Darka crie à perdre haleine.

Soudain, le corps de la fillette commence à se dessécher et tombe en poussière. Darka est prise de convulsions, comme si tout son être ne lui appartenait plus et qu'il luttait contre un ennemi invisible. L'adolescente commence à se transformer, à grandir et à se métamorphoser en une femme démesurément grande. Elle hurle de douleur. Ses vêtements de cuir se déchirent et tombent par terre, pendant que ses cheveux rouges se mettent à allonger jusqu'à lui tomber sur les hanches.

Quand la métamorphose semble être achevée, la femme, complètement nue, se contemple. Elle se met à rire d'une manière qui me glace le sang.

Je dois absolument partir d'ici. Lorsque je tente de me dégager des pierres qui me recouvrent, l'une d'entre elles roule sur le sol. Le bruit résonne dans la salle.

Maintenant consciente de ma présence, la femme se retourne, tend la main vers moi et m'envoie un rayon d'énergie rouge qui me fait sombrer dans l'inconscience.

ÉPILOGUE

Je ne sais combien de temps je suis resté inconscient. Tout ce dont je me souviens, c'est qu'à mon réveil, Darka s'était volatilisée. Je tente de m'extirper de l'amas de pierres qui repose sur mon corps endolori.

Une main me soulève alors par le collet, me libérant du même coup, et me laisse choir à quatre pattes sur le sol.

Lorsque je relève la tête, je me retrouve nez à nez avec la lance dorée qui pointait un peu plus tôt vers le corps inerte de la fillette. Au bout de la lance, une femme vêtue d'un pagne et coiffée d'un casque me dévisage de ses yeux gris.

— Je suis Pallas Athéna, gardienne du temple de Chronos. Malheur à vous, mortel, qui avez lâché sur le monde la vengeance de Némésis.

TABLE DES MATIÈRES